QU'EST-CE QU'UN CHEF ?

Du même auteur

Servir, Fayard, 2017, « Pluriel », 2018.

Général d'armée
Pierre de Villiers

Qu'est-ce qu'un chef ?

Fayard

Couverture : le petit atelier
Illustration © Stephan Gladieu

ISBN : 978-2-213-71166-9
Dépôt légal : novembre 2018

À mes parents, mes éducateurs, mes chefs militaires, qui m'ont appris que l'on ne construit rien de solide sans les autres

À Sabine et à nos enfants, sans qui rien n'aurait été possible

« L'homme est ce qu'il fait. »

André MALRAUX

Introduction

« Une nouvelle page de ma vie s'est ouverte. Heureusement, les militaires n'ont pas le monopole du service. Je continuerai à servir mon pays autrement. » Ainsi s'achevait mon livre *Servir*, première étape de cette volonté de transmettre qui m'anime sans cesse depuis le 19 juillet 2017, jour où j'ai présenté ma démission de chef d'état-major au président de la République. Devenu homme public dans des circonstances que je n'ai pas choisies, je veux demeurer un passeur d'unité et d'espérance, sans rancœur ni polémique. On transmet ce que l'on vit. Et précisément, c'est une aventure très nouvelle que j'ai vécue au cours de cette dernière année.

Depuis mon départ de l'institution militaire, je n'ai eu de cesse de rencontrer des centaines de Françaises et de Français, au fil de mes séances de dédicaces et de mes conférences, partout où je suis allé au sortir du

11

monde militaire qui a été le mien pendant quarante-trois années. J'ai pris le temps de la rencontre, les yeux dans les yeux, qui fait tant défaut aujourd'hui. Rien ne vaut le contact direct, en vérité, loin de la comédie humaine et des faux-semblants. Rien ne vaut ce passage d'un monde à l'autre, du militaire au civil en l'occurrence, pour saisir ces demandes secrètes, ces attentes inassouvies, ces aspirations censurées qui peuvent échapper à la fréquentation quotidienne.

J'ai discuté avec des mères et des pères de famille, inquiets pour l'avenir de leurs enfants. Des dirigeants de PME, des responsables associatifs, des agriculteurs, des professions libérales, des fonctionnaires m'ont confié combien ils se sentaient isolés et fragiles, m'ont fait part de leurs préoccupations du quotidien, de leur sentiment d'être abandonnés par toutes les formes d'autorité. Des jeunes étudiants, des demandeurs d'emploi m'ont décrit le stress qui les frappe et la pression qu'ils subissent. Des anciens combattants de la guerre d'Indochine et d'Algérie, déçus par notre époque et émus en pensant à tous ceux qui sont tombés au champ d'honneur, m'ont dit : « Tout ça pour ça ! » J'ai entendu des passionnés de la Défense, d'active ou de réserve, me parler de ce monde en fusion et en confusion. Beaucoup m'ont interpellé sous le coup de la désespérance ambiante, déçus par toutes les idéologies mensongères, ne trouvant plus leur place dans notre société fracturée. Et ce qui m'a le plus impressionné a été le nombre de témoignages de gens simples, dévoués, courageux, généreux, dont le regard de solitude révélait une vraie attente. Des solidaires solitaires.

De toutes ces conversations, je retiens principalement deux choses qui m'ont profondément touché, mais dont je ne veux pas tirer la moindre vanité. D'abord, « merci pour votre sincérité, votre honnêteté, votre loyauté », et ensuite « merci pour votre absence de polémiques ; cela nous change ! ». J'ai été étonné, comme d'ailleurs mes hôtes libraires (plus habitués aux séances de dédicaces que moi !), du climat serein et presque recueilli qui régnait partout où nous sommes allés ; une sorte de communion collective et individuelle dans cet idéal de service pour notre pays et ses valeurs. Alors même qu'ils voulaient féliciter ou remercier l'auteur, certains dans le public manifestaient une émotion qui pouvait les conduire jusqu'au bord des larmes. Ils exprimaient un sentiment profond qui allait bien au-delà de ma personne. Cette authenticité, dans une société où trop souvent l'on n'apprend plus à dire merci et où la violence est omniprésente, m'a frappé. On était loin des paillettes et du paraître, au plus profond de l'être, du bonheur vrai, à mille lieues du calcul et de la communication cosmétique.

Alors, depuis quelques mois, j'ai réfléchi à tout cela. J'ai repensé à ces instants intimes, à ces espoirs fugaces, à ces conversations joviales, à ces grands moments d'émotion partagée. Un peu dépassé, je dois vous l'avouer, par ce succès non recherché, par cette situation imprévisible, j'ai multiplié les sauts de puce ferroviaires et les voyages dans les trains intercités qui symboliquement redevenaient, entre deux grèves, le pont tant espéré entre les solitaires.

Simultanément, j'ai été sollicité pour donner des conférences, là aussi dans toute la France, pour parler de la situation géostratégique du monde, de l'exercice de l'autorité, du rôle du chef, de la conduite de la transformation d'une organisation, de la jeunesse (plus de la moitié des militaires ont moins de trente ans) ; en bref, de tout de ce que j'ai appris en quarante-trois années au service des armées, pour le succès des armes de la France.

Enfin, j'ai créé une société de conseil avec deux priorités : la jeunesse et l'entreprise. À ce titre, je côtoie l'ensemble du paysage économique de notre pays, des grands groupes français aux entreprises de taille intermédiaire, des organisations interprofessionnelles aux PME, afin de transmettre ce que j'ai appris en matière de transformation des organisations et de les aider à y intégrer la dimension humaine. C'est à ce titre que j'ai entamé avec ma société, parmi d'autres clients, une collaboration d'un jour par semaine avec la filiale française du Boston Consulting Group, grand cabinet international de conseil en stratégie. J'essaie systématiquement d'insister sur cette idée qui m'est essentielle : l'importance du facteur humain dans la réussite de tout changement.

J'ai pu ainsi mesurer tout ce que le monde militaire m'avait apporté. J'ai mieux saisi la chance que j'ai eue de posséder une vraie conviction articulée autour du souci des rapports humains : cette fameuse « obéissance d'amitié » recherchée au quotidien chez nos subordonnés, là où l'adhésion l'emporte sur la contrainte ; cette ouverture aux autres, par construction, car « il n'est de richesse que d'hommes » ; cette fraternité profonde entre nous, sachant qu'elle pouvait nous conduire ensemble jusqu'au sacrifice suprême ; cette vérité dans le regard, qui, seule, produit le bonheur authentique. Que de fois ai-je entendu à juste raison mes chefs affirmer qu'ils souhaitaient « mettre l'homme au centre du projet » !

J'ai également constaté combien la convergence de préoccupation est grande entre les mondes militaire et civil et pourquoi nous avions tout à gagner à échanger davantage. J'ai senti combien l'expérience militaire était attendue, alors que, par pudeur parfois, par frilosité excessive, les militaires doutent de la popularité réelle dont ils jouissent dans la nation et de la légitimité qui leur est reconnue de s'exprimer. Pourtant, les sondages sont explicites sur ce plan, à faire pâlir d'ailleurs de nombreux hommes politiques ! Plus de 85 % des Français soutiennent leurs armées et approuvent leur action. Et tout naturellement, ils attendent aussi des paroles de la « grande muette ».

Disposant désormais d'un peu plus de temps et de liberté, observateur attentif et citoyen responsable, à l'écart de toute ambition politicienne, je me dis qu'il est de mon devoir de formuler humblement quelques pistes stratégiques pour sortir d'une situation aussi désolante qu'inquiétante, qui dépasse d'ailleurs notre seul « mal français ». J'aimerais expliquer ce que sont les principales vertus du chef et comment elles peuvent améliorer l'adhésion de tous ceux qui obéissent aujourd'hui en silence, en confiance et parfois dans l'ignorance, et comment elles peuvent susciter un véritable engagement.

Je ne suis ni philosophe, ni ethnologue, ni sociologue, ni historien, ni grand capitaine d'industrie. Je suis un praticien de l'autorité qui s'est toujours efforcé de placer les relations humaines au cœur de son engagement au service de la France et des armées.

Introduction

J'ai la faiblesse de penser que, dans notre monde dit post-moderne, qui semble avoir perdu la boussole et le compas, certaines de mes réflexions ou de mes pratiques peuvent être utiles. Je le fais avec toute la modestie qui sied à cet exercice, en écho à de multiples sollicitations de certains de nos concitoyens qui me demandent avec insistance, dans chacune de mes sorties publiques, de partager mon expérience et de faire part de mes propositions.

Car l'autorité n'est pas spécifiquement militaire. C'est le lien fondamental de toute société humaine. Certes, l'armée lui donne une forme et une expression particulières. Les civils ne saluent pas leurs supérieurs comme les militaires. Pour autant, notre société est hiérarchisée et nous respectons les individus dans la place qu'ils occupent, les valeurs qu'ils représentent, leur manière de se conduire. C'est vrai de l'école maternelle à l'exercice des plus hautes fonctions. Et lorsque l'autorité perd ses repères, alors la société est fragilisée.

Fort de ces convictions, je propose dans ce livre quelques jalons pragmatiques, simples et avérés pour sortir de ce mal-être sociétal croissant, diriger avec justesse et discernement et avancer sur la route d'un bonheur véritable. Il est temps de remettre au centre l'Homme, ce grand oublié, que l'on doit retrouver.

Comme le préconisait Lyautey à son époque, dans un livre encore si actuel, *Le Rôle social de l'officier*, il est temps de valoriser le rôle social du dirigeant, du chef, sachant que, pour bien diriger, il faut d'abord savoir se diriger soi-même. Chacun préside à sa propre destinée. Dès la naissance d'un premier enfant, on devient chef de famille. Quand on prend une quelconque responsabilité, on est directement en prise avec cette problématique de chef, car titulaire d'une parcelle, grande ou petite, d'autorité. On agit, suivant l'expression, « de son propre chef », dans la vie quotidienne, quelle que soit sa vie. Tout homme ne saurait exiger d'un autre qu'il lui obéisse s'il n'obéit pas à lui-même. Chacun doit être son propre chef, avant de prétendre être celui d'un autre.

Je ne sais pas s'il est plus difficile d'être responsable aujourd'hui, quels que soient le niveau et le domaine, qu'à la fin du XIXe siècle, quand vivait le maréchal Lyautey. Chaque époque rencontre ses difficultés. Mais je mesure par mes rencontres que la pression sur les dirigeants et sur ceux qui obéissent est devenue énorme. Les sujets sont multiples et multiformes. L'inquiétude sécuritaire, les difficultés économiques et sociales, la crise de l'autorité, le raccourcissement du temps, la digitalisation, la course technologique, la mondialisation sont autant de poids supplémentaires qui pèsent sur tous les responsables. Face à cette complexité, il faut revenir aux clefs de l'adhésion qui unit le chef à ses collaborateurs : une vision partagée, une autorité rayonnante et convaincante qui aboutit à une obéissance active et non passive. Le premier critère en amont d'une décision doit être l'impact que cela produira sur les hommes. Comme l'écrit Patrice Franceschi dans *Dernières nouvelles du futur*, « cette question me hante depuis des années : que va devenir l'homme demain ? ».

Mon expérience de chef militaire opérationnel, de conseiller du gouvernement, de responsable des relations internationales militaires, de pilote de la transformation des armées et aujourd'hui de conseiller en management « civil » m'a convaincu que le point essentiel d'une véritable efficacité est la motivation des hommes. Nos sociétés dites modernes et avancées ont probablement oublié tout simplement de mettre en premier le service de l'Homme et se soumettent à la tyrannie des moyens en oubliant la fin. C'est du simple bon sens. Il faut donner du sens ou, plus précisément, le révéler. Qui d'autre que le chef peut le faire ?

Est-ce à dire que « le chef a toujours raison » ? Certainement pas, car, en ce domaine, le pire et le meilleur sont les deux versants de la même route. Si, par malheur, les processus l'emportent sur la volonté de ceux qui doivent tracer le chemin, alors le chef finit lui-même par organiser l'éviction de l'Homme. Le mot « chef » peut recouvrir des réalités fort diverses. Il peut désigner un être structuré, réfléchi, équilibré, heureux et préparant les générations à venir ou bien, au contraire, un individu « performant », destructeur de la planète, robotisé et dévoré par le court terme. Transmettre, c'est ensemencer l'avenir par le passé.

J'espère que ces pages seront utiles pour convaincre ceux qui en doutent et conforter ceux qui en sont persuadés. Notre pays a besoin de dirigeants tournés vers les autres, aimant davantage les responsabilités que le pouvoir, dotés d'une colonne vertébrale solide, parce que constituée d'une moelle épinière innervée par des valeurs à la fois pérennes et modernes. Notre époque a besoin de clarté, d'épaisseur, de profondeur. Notre époque a besoin de chefs pour aujourd'hui et surtout pour demain.

Chapitre 1

Vous avez la montre, nous avons le temps

Dans le silence, le calme, la sérénité, en repensant à tout ce que j'ai fait, à tout ce que j'ai vécu, j'en reviens sans cesse à cette même évidence : quel que soit notre engagement, nous butons toujours sur un manque de temps et d'autorité. Tout le reste vient après. L'un donne la profondeur, l'autre l'épaisseur. Les deux procurent la puissance et l'espace. Sans durée, on papillonne ; sans autorité, on brasse de l'air.

Le temps presse ; le temps stresse

« Désolé, on se rappelle, je suis pressé ! » Conversation téléphonique banale. Tout le monde court, souvent sans savoir après quoi. Le temps donne l'impression de nous échapper, de s'accélérer et de fuir inexorablement. Plus le temps passe, plus on passe son temps à chercher du temps. Le temps n'est plus un moyen, mais une fin. À la question : « Qu'est-ce que je veux faire de ma vie ? », la réponse tombe, implacable : « Demain j'y réfléchirai, je n'ai pas le temps aujourd'hui. »

Ce temps qui court est bref. Il l'emporte systématiquement sur le temps long et ses horizons lointains. Tout nous tire vers l'immédiateté. Les journées ne comptant que vingt-quatre heures, nous sommes pressés, stressés pour faire entrer l'édredon de nos tâches dans la valise du temps disponible. Souvent d'ailleurs, l'agrandissement de l'espace consomme beaucoup de temps, car il faut aller chercher les marchés là où ils sont, prendre l'activité là où elle existe et sauter d'avion en avion, de train en train (quand ils circulent !). Souvent aussi on se rajoute des tâches, que l'on croit indispensables quand elles ne sont qu'accessoires.

Au cours de ces dernières années, j'ai été frappé par l'accélération de cette chasse au temps qui empêche toute réflexion. Quand vous regardez aujourd'hui l'agenda des responsables, quels que soient les domaines concernés, vous vous demandez bien à quel moment ils peuvent réfléchir, penser en termes de stratégie, se dégager de la tactique et des tracas quotidiens. Ils passent de « sujet en sujet » et les « traitent » de manière quasi thérapeutique, souvent *a posteriori*, par manque d'anticipation. Bien des crises sont dues

à l'absence de réflexion préalable : à ne jamais penser
que, dans l'instant, on se laisse toujours surprendre
par l'événement. Parfois, un manque d'intérêt envers les personnes empêche de discerner les signaux
faibles. Pour avoir une vision de long terme et la
traduire en plan stratégique, il faut prendre le temps
de la réflexion et, quoi qu'il arrive, cela nécessite des
moments de calme, de silence, de conception puis de
rédaction, pas seulement de réaction.

S'occuper des femmes et des hommes que l'on a
l'honneur de diriger prend du temps. Si on ne le
trouve pas, les conséquences peuvent être lourdes.
Ces dernières années, je posais la question aux responsables civils et militaires que je rencontrais : « Quelle
est votre principale difficulté ? » Ils me répondaient
à la quasi-unanimité : la gestion des conflits humains,
des difficultés avec le personnel, la cohabitation des
équipes. Pourquoi ? Généralement, parce qu'on n'a
pas pris le temps de sentir, d'identifier et de régler en
amont les problèmes humains. Ce temps, c'est celui
que requièrent la discussion, la présence, l'attention,
la considération, toutes choses qui ne se casent pas
dans un agenda.

Bien souvent, le stress et les difficultés de la vie
personnelle, dont souffrent beaucoup de nos concitoyens, placent les dirigeants dans une situation extrê-

mement compliquée. Cette équation personnelle toujours présente doit les amener à redoubler d'exigence
sur le plan humain, à moins de risquer l'inefficacité
ou pire encore l'accident. Le stress de la vie personnelle est souvent le soubassement de nombreux
drames auxquels sont confrontés les individus dans
tous les milieux. La pression du temps, l'accumula-
tion des soucis, liés au surcroît d'activité, épuisent
bien davantage que le poids des années. Beaucoup
de jeunes se trouvent dans cette situation de fragilité
et de vulnérabilité quand ils viennent s'engager dans
l'armée.

La prise de conscience par les dirigeants de cette
nécessité de relativiser est prioritaire. Avant qu'il ne
soit trop tard. Nul n'est à l'abri du *burn-out*. Ils réalisent après coup que les cimetières sont pleins de
gens irremplaçables et qu'ils auraient mieux fait de
doser leur effort et de prendre de la hauteur. J'en ai
rencontré récemment, qui m'ont confié avoir négligé
les signaux d'alerte et, à force, se sont mis en danger,
et leur entreprise avec eux. Jusqu'à devoir s'arrêter
plusieurs mois pour se remettre sur pied. Leur sincérité rétroactive est touchante et suffit à être convaincante. J'aime la phrase de Sylvain Tesson évoquant
l'accélération du temps : « Nous sommes des gazelles
qui nous jetons de la tour Eiffel en disant : le monde
change, il faut s'adapter. »

Un temps pour mourir, un livre de Nicolas Diat, paru en 2018, est sur ce plan riche d'intérêt, dans une société qui n'ose pas aborder le problème de la mort et pour laquelle seuls comptent le temps court et l'arrêt sur image. Les hommes ne savent plus comment mourir et aborder l'éternité. L'auteur nous entraîne dans le secret des monastères et mène une réflexion puissante, empreinte de délicatesse, sur la mort des moines, éloignant temporairement notre regard de la plate frénésie du court terme. Or, les militaires vivent aussi chaque jour avec la préoccupation de la mort, celle que l'on peut donner si nécessaire et celle que l'on reçoit, non par accident, mais par engagement.

Me revient une image : celle de la cour des Invalides, battue par les vents un jour glacé d'hiver. Non loin du drapeau de leur régiment, des militaires debout, le visage grave, ému ; sur le côté, des femmes et des hommes vêtus de noir, dignes et bouleversés. Devant eux, trois cercueils recouverts du drapeau français, ceux de trois militaires, un jeune et deux anciens, qui ont trouvé la mort au Mali. Dans un silence recueilli, on ouvre le ban, le clairon résonne dans la cour. Je me tiens derrière le président Hollande qui passe les troupes en revue, avant d'accrocher sur un coussin posé sur chaque cercueil les décorations dont il honore les trois morts. Après son allocution, on ferme le ban, et je suis le président, qui rejoint les familles dans une pièce, alors que les cercueils quittent les Invalides pour être enterrés dans trois régions de France. Le président est sincèrement touché et se montre exceptionnel de délicatesse face à des proches dans le désarroi le plus total. Dans ces conversations, vous êtes dans la vérité. Ils ne comprennent pas toujours pourquoi leur fils, leur frère, leur mari est mort si loin de chez lui, mais acceptent ce sacrifice, et sa grandeur. Cette scène déchirante, je l'ai vécue à de nombreuses reprises au cours de ma carrière, et j'ai vu tous les ministres de la Défense dans ces circonstances éprouvantes. Tous redoutaient ces moments ; tous en ressortaient changés, prenant conscience de l'insignifiance souvent dérisoire des soucis quotidiens. « Paix aux hommes de guerre. Qu'ils soient ensevelis dans un dernier silence », écrivait Péguy.

Privilégier d'abord la stratégie et adapter ensuite la tactique

La stratégie est nécessaire pour donner une vision, un cap, et gagner la guerre. La tactique est indispensable pour emporter la victoire dans le court terme et gagner la bataille. La première agit dans le temps long et éclaire la route. La deuxième règle les crises au quotidien sur le chemin.

Pour entraîner derrière soi un ou deux collaborateurs, ou des dizaines, des centaines, des milliers, des millions de personnes, mieux vaut se préoccuper d'abord de la stratégie, puis de la tactique. C'est cette dernière qui procure les moyens d'atteindre l'objectif, en répondant à la question « comment ? ». La stratégie détermine la vision et l'état final recherché ; elle résout la question « quoi ? ». Pour cela, il faut du temps pour réfléchir, concevoir, convaincre, adapter, conduire. Le temps redevient un allié et non une contrainte. On choisit le cadre espace-temps et on le gère, parce que l'on sait où l'on veut aller. J'aime beaucoup cette phrase de la sagesse afghane qu'un *malek*, maire du village, m'avait dite à l'occasion d'une *choura*, ces réunions traditionnelles en présence des autorités locales et des anciens : « Vous avez la montre, nous avons le temps. »

Il y a quelques mois s'est tenue au musée de l'Armée à Paris une magnifique exposition intitulée « Napoléon stratège ». Il ressortait clairement la différence entre l'objectif répondant à une stratégie et les procédés tactiques, qui ne sont que des moyens pour l'atteindre. La fin nécessite du temps et de la constance. Les moyens réclament de l'adaptation, de l'agilité et de la surprise dans leur mise en œuvre, généralement à très court terme. La combinaison de cet art stratégique de la guerre a conduit Napoléon aux plus grandes victoires tactiques sur le terrain, comme ce fut le cas à Austerlitz, commémorée par tous les saint-cyriens chaque 2 décembre. Pendant ma visite, je me suis souvenu du 2 décembre 1976 : comme chaque année, tous les élèves de Saint-Cyr ont reconstitué la bataille sur le plateau baptisé de « Pratzen » à Coëtquidan. Au petit matin, le « Père système », comme on surnomme le représentant élu des élèves, est arrivé sur son cheval blanc, déguisé en Napoléon. Cavalier, j'ai attendu, gelé sur mon cheval, qu'il donne l'ordre, pour participer à cette fameuse charge de cavalerie qui illustre le génie militaire de l'Empereur. Napoléon avait une stratégie claire : toujours un coup d'avance ; et une tactique : la mobilité, l'utilisation intelligente du terrain et des opérations pour prendre l'ennemi à revers. C'est cette charge de cavalerie, que les Austro-Prussiens n'avaient pas anticipée, qui a emporté la bataille en quelques heures.

Voir loin, au-delà de l'horizon raisonnable, de l'autre côté de la ligne de crête, est essentiel pour tout homme ou femme, quelle que soit sa vie. Pour les dirigeants, commander, c'est prévoir et imaginer les scénarios les plus imprévisibles dans l'espace et dans le temps. Il faut aller au-delà de la dépêche d'agence de l'après-midi pour rejoindre les grandes étendues de l'imagination et de la planification. La surprise stratégique est le nom que l'on donne à ce que l'on n'a pas su prévoir. Elle révèle souvent une défaite de la pensée tout court.

Sur ce plan, le « monde village » dans lequel nous vivons a donné aux médias une puissance instantanée inouïe et tire nécessairement le temps vers le présent, plus que l'avenir. Il serait trop facile d'en faire des boucs émissaires et de les incriminer seuls ; ce mouvement est bien plus vaste et résulte de notre incapacité à prendre de la distance.

Politiquement, l'horizon de nos démocraties bute sur le mur de la prochaine échéance électorale et, de ce point de vue, la suppression du septennat n'a fait qu'accélérer cette fuite en avant. Là encore, il est délicat de reprocher aux hommes politiques de limiter leur perspective temporelle au mandat pour lequel ils ont été élus, car s'ils vont au-delà, on leur en veut de prendre des engagements qu'ils n'auront pas à gérer. Et pourtant toutes leurs décisions devraient considérer l'intérêt objectif des générations suivantes !

Une vision : l'état final recherché

Notre société très médiatisée, marquée par l'irrationalité de l'émotion plus que par la rationalité politique, peine à s'extraire de la tyrannie de l'urgence. Comme chef d'état-major des armées, j'ai souvent été confronté à cette tension entre la nécessité d'agir rapidement et le besoin d'inscrire cette action dans un objectif de long terme. Pourquoi entreprendre cette action militaire ? Dans quel but et avec quel état final recherché ? Ces questions, je les posais régulièrement à mes autorités politiques, avant toute décision importante. Elles sont décisives pour entreprendre une action armée. Elles se sont par exemple posées lors du conseil de défense présidé par François Hollande quand il a dû décider si les avions français allaient rejoindre ou non la coalition et s'engager au-dessus de la Syrie en 2016. Car il ne suffit pas de bombarder des cibles prédéterminées et dûment choisies, il faut aussi savoir ce que l'on fait le jour d'après et tracer les grandes lignes d'une stratégie d'une paix durable.

Il en est ainsi pour toute entreprise humaine qui doit s'inscrire dans une stratégie claire, compréhensible et incarnée dans le quotidien, au risque de ne pas être comprise ou d'être mal interprétée. Pour susciter l'adhésion, il faut absolument de grands desseins, qui donnent du sens au travers d'un projet, mais avant tout une vision commune, fédératrice et attractive. Au cœur de cette vision, chaque femme et chaque homme composant la communauté doit trouver son compte individuellement et collectivement. La pression que subissent les dirigeants rend cette vision de l'Homme encore plus essentielle pour sortir de cette ambiguïté dans laquelle nous nous trouvons, génératrice d'inquiétude. « Il n'y a point de vent favorable pour celui qui ne sait où il va », disait Sénèque.

D'ailleurs, lorsque je discute avec des jeunes de tous horizons, je suis frappé de les entendre tous ou presque vouloir « donner du sens à leur vie, à leur projet de vie », pas simplement trouver un emploi ou améliorer leur performance professionnelle. Ils apprennent « comment » on fait les choses, ils veulent savoir « pourquoi » ils doivent les faire. C'est la même aspiration à voir plus haut, plus loin, que nous entendons chez les jeunes, chaque année si nombreux, qui choisissent de s'engager dans l'armée : ils veulent servir la paix, servir la France, se dépasser, se mettre au service de valeurs, comme la fraternité, la cohésion, la sincérité.

Cette aspiration est aussi nécessaire sur le plan collectif, dans toute entreprise humaine, dans tout projet de société. La communauté des subordonnés veut voir loin et savoir pour mieux comprendre où l'on est et où l'on va. Les dirigeants efficaces le savent : l'adhésion des subordonnés est le premier indicateur à observer, même s'il est probablement le plus difficile à quantifier. Cette adhésion se démultiplie quand le plan stratégique de l'entreprise est expliqué avec pédagogie, ses axes, déclinés dans le temps et dans l'espace. Cette vision de long terme fédère toutes les actions du court terme. Chacun peut mesurer le chemin à parcourir pour atteindre les objectifs opérationnels, humains, financiers. La pression du temps est maîtrisée. Les actions concrètes sont expliquées et les acteurs sont mécaniquement plus rassurés. Xavier Fontanet, fort de sa grande expérience, explique que, « dans une entreprise, il y a la stratégie. Mais ensuite, il y a l'exécution, qui dépend de l'initiative de chacun. Tout repose sur la confiance ».

Le devoir de s'asseoir

« La beauté sauvera le monde. » Cette phrase magnifique de Dostoïevski s'accommode mal de l'esprit du temps actuel. Il est pourtant des moments dans la vie où l'esthétique rejoint l'éthique, les deux prenant du temps. J'aime bien cette définition de l'éthique, qui n'est autre que « l'esthétique du cœur ». Une prise d'armes militaire, cérémonie en grande tenue, est, pour un certain nombre d'intellectuels surdiplômés ou tout simplement de Français ignorant la chose militaire, une activité totalement inutile, coûteuse et ringarde. J'ai entendu cela, considération accompagnée d'un petit sourire en coin un peu méprisant. Quand j'étais chef de corps entre 1998 et 2000 à Mourmelon, la prise d'armes avait lieu pour les jeunes engagés, après leur premier mois parmi nous, devant le drapeau du régiment que je commandais, devant des anciens des chars de combat. Je voyais la transformation de ces jeunes, ils prenaient conscience du sens de leur engagement. Car une prise d'armes, manifestation de cohésion, d'esthétique, de rigueur, est un moment fort, essentiel pour les militaires, où se construit au travers d'un cérémonial millimétré la fraternité, le sentiment d'appartenance commune à des valeurs et l'engagement au service de son pays. Quand l'étendard défile devant les troupes ou quand *La Marseillaise* retentit dans la nuit, ce sont des moments indispensables pour la vraie efficacité de nos armées. Derrière ce drapeau, il y a la nuée invisible de tous ceux qui nous ont précédés et permis d'être ce que nous sommes aujourd'hui, le fil de l'histoire et l'ancrage dans le temps.

Un monde de tableaux de chiffres, de normes et de temps de travail compté, même s'il est indispensable, ne peut apporter le vrai bonheur. L'homme a besoin de générosité, de gratuité, de beauté. La beauté porte à aimer. C'est peut-être même la meilleure des thérapies : réserver une place au devoir de s'asseoir et de contempler. Dans le tumulte, parfois empreint de futilité, nous avons besoin de nous poser pour mieux nous reposer.

Il nous faut réapprendre le silence ou la flânerie. Revenir aux joies simples des quatre saisons, alors qu'en ville parfois on n'en connaît plus que deux. Fuir le monde numérisé, par exemple en coupant son portable et son ordinateur, est vital pour reconquérir du temps et des grands espaces, pour retrouver le silence et la durée, pour faire l'expérience du sensible et de sa part de mystère. « Éteignez tout et le monde s'allume ! » écrit Sylvain Tesson. Reste à trouver une forme d'écologie numérique, de jeûne digital, pour bénéficier des avancées sans en subir les effets néfastes.

J'ai eu la chance d'être ancré dans « le seul département qui est devenu une province : la Vendée », selon l'expression de Jean Yole. J'ai eu cette grande joie de naître et de grandir dans un petit village où tout le monde se connaissait, au rythme des travaux des champs et des fêtes paroissiales. J'ai eu cette force de savoir d'où je viens. Au rythme lent d'autrefois, celui des cultures et des plantes, l'Homme n'était ni bousculé ni broyé. Il avait le temps de regarder les autres et de vivre.

On oppose souvent la nostalgie à la modernité. C'est une erreur : les deux sont nécessaires. La rêverie devant un paysage de son enfance, l'album photo où défilent les souvenirs, les livres d'histoire, nous donnent l'épaisseur du temps et relativisent les soucis de notre époque. Alain Finkielkraut a écrit l'été dernier un plaidoyer pour la nostalgie et il avait raison. Bien sûr, notre époque fait des progrès chaque jour, mais regarder en arrière n'a jamais été contre-indiqué par la médecine, surtout quand cela permet de noter quelques fausses pistes à éviter. À transformer le progrès en une fuite en avant qui efface la diversité et les spécificités héritées de l'histoire, on prend le risque de nous dessécher dans l'uniforme mondialisation du marché. À chacun de trouver le juste équilibre entre le « c'était mieux avant » et le « ce sera mieux demain ».

Nous devrions aussi redonner à la prospective ses lettres de noblesse. Cette discipline essentielle ne semble plus prioritaire aujourd'hui, alors même que nous nous laissons emporter par une économie de marché non finalisée. C'est un tort. D'autant que le peu qui est fait termine généralement dans les armoires fortes, les poubelles ou les oubliettes de l'Histoire. Retrouvons de la profondeur, de la hauteur, du champ par rapport au quotidien. Revenons à la stratégie dans l'espace et dans le temps !

Au début de sa carrière dans l'Aéropostale, Antoine de Saint-Exupéry est nommé chef d'escale à

Cap Juby, au Maroc. Aux portes du désert, il apprend à méditer, et toute sa vie en sera transformée. C'est sans doute de là-bas que vient cette phrase écrite plus tard dans *Le Petit Prince* : « J'ai toujours aimé le désert. On s'assoit sur une dune de sable. On ne voit rien. On n'entend rien. Et cependant quelque chose rayonne en silence… » J'ai eu cette expérience au pied d'une barkhane, cette dune formée par le vent, près de Faya Largeau, au milieu du désert tchadien. On peut éprouver le même sentiment sans aller si loin ! Je l'ai vécue cet été, à Rothéneuf, près de Saint-Malo, où je passais toutes mes vacances d'été, enfant. On y trouve des rochers sculptés à la fin du XIX\ siècle au bord de la mer. Je suis resté comme il y a cinquante ans, face à l'océan, face à moi-même. Mes compagnons minéraux, taquinés par les mouettes, étincelaient dans le soleil ; ils n'avaient pas bougé d'un iota. J'ai pensé à la phrase du maréchal Foch pour définir l'autorité : « L'intelligence pour savoir ce que l'on veut ; le silence pour y asseoir sa réflexion ; et puis la volonté pour assurer la poursuite tenace. »

Qu'est-ce donc au juste que l'autorité ?

Combien de fois ai-je entendu cette phrase dans les séances de dédicaces, dans la rue ou à la sortie d'une conférence : « Mon général, il n'y a plus d'autorité. »

Comme chef d'état-major, j'ai eu parfois l'impression que les armées, qui ont conservé cette image d'une institution où l'on a su encore maintenir cette notion d'autorité, commençaient à devenir quelque peu « les pompiers de la République », notamment vis-à-vis de notre jeunesse, qui souvent ne se retrouve pas dans les institutions en charge de l'éducation.

Le 15 décembre 2016, j'avais écrit une lettre aux jeunes engagés sur ce thème. Elle me semble encore d'actualité, au-delà des seuls militaires, et je la reproduis ici.

« Mon cher camarade,

« J'ai achevé ma précédente lettre sur cette vérité essentielle, quoiqu'un peu paradoxale en apparence : "Toute autorité est un service."

« Pour découvrir le lien qui unit "autorité" et "service", il faut avoir compris ce qu'est réellement l'autorité. Ne pas s'être arrêté au conseil que certains ont, peut-être, reçu à la veille de leur engagement : "Tout ce qui porte un galon, tu salues !" En réalité, ce qui fait l'autorité est bien plus subtil et bien plus profond.

« Je suis certain que, dès les premiers jours, vous avez senti que le grade, ô combien nécessaire, ne suffisait pas, pour autant, à asseoir l'autorité. Vous avez raison ! Je sais aussi que vous avez facilement reconnu la vraie autorité chez certains de vos chefs, sans toutefois pouvoir expliquer précisément ce qui se cachait derrière.

« L'autorité avec un grand A est celle qui ne tombe dans aucun des deux pièges qui la guettent. Ni l'abus de pouvoir qui détruit l'autorité ni la démagogie qui est la négation même de l'autorité. Ni la coercition ni l'argumentation. Ni la dureté froide ni la mollesse tiède.

« Quand l'autorité est excessive, la confiance de ceux sur qui elle est exercée est trahie. Quand l'autorité fait défaut, l'indécision s'installe. De l'indécision naît l'ambiguïté. De l'ambiguïté naît la confusion. Ce sont là les deux plus sûrs chemins vers la défaite.

« Entre l'abus de pouvoir et la faiblesse, le chemin est étroit et exigeant. Il porte un nom que vous connaissez tous : le service du bien commun ! C'est avant tout au sens du service qu'on reconnaît l'autorité !

« L'autorité avec un grand A écoute, décide, ordonne, entraîne, oriente, guide, sanctionne si besoin, encourage si nécessaire. Elle réchauffe ce qui est froid et redresse ce qui fléchit. Elle ne compte ni son temps ni ses efforts. Elle crée une dynamique, un élan, un mouvement dans lequel on souhaite s'inscrire. Elle suscite l'adhésion et la volonté de vaincre !

« L'autorité n'existe jamais par elle-même ni pour elle-même. Elle est incarnée par un chef. Celui qui va donner du corps et du cœur à son "galon" par un savant mélange de compétence et de charisme. Celui qui, refusant de "se servir" de sa position, va au contraire mettre son autorité au service de la mission reçue. Celui qui, malgré ses imperfections et ses erreurs, saura conserver son autorité parce qu'il aura eu l'humilité de se remettre en question.

« Pour résumer, l'autorité est indispensable à toute communauté militaire. Elle incarne la responsabilité et non le pouvoir. Elle oblige tout autant celui qui l'exerce que celui sur qui elle s'exerce. »

Que le lecteur se rassure : je ne prétends pas, loin de là, transposer intégralement le modèle militaire à la société civile, mais cette question de l'autorité est fondamentale et ce n'est pas un hasard si, pour restaurer le creuset national, on pense à la pédagogie militaire et notamment à instituer une nouvelle forme de service national universel, dont je ne sais pas à ce stade quels seront les contours ni les modalités. En effet, l'ordonnancement harmonieux de la société passe par une autorité respectée et une discipline imposée par la loi. Le peuple délègue à l'État la responsabilité de cette autorité. La reconstitution d'un creuset national est urgente et prioritaire, à moins de laisser se développer une dilution progressive de nos valeurs et un affaiblissement dangereux pour notre nation. L'armée est redevenue une sorte de modèle inspirant, après avoir été longtemps un répulsif à la mode. Je préfère que les militaires soient des sortes de pompiers de la République, plutôt que des épouvantails stupides. Le cinquantième anniversaire de Mai 1968 nous montre combien l'eau a coulé sous les ponts depuis... On est passé bien souvent du « il est interdit d'interdire » à « on veut de la discipline, de l'ordre, de l'engagement ». Quand je suis entré à Saint-Cyr en 1975, je me faisais insulter sur tous les terrains de football, parce que j'avais les cheveux suffisamment courts pour témoigner que j'étais engagé dans l'armée française. Quarante-trois ans plus tard, les militaires sont acclamés pour ce qu'ils sont et ce qu'ils font. Quel changement ! Avec humour, je dirais qu'aucune bonne cause n'est désespérée !

Une grande partie de notre jeunesse a vu les limites des injonctions de 68, même s'il y a encore quelques soixante-huitards sur le tard... Nos septuagénaires qui étaient sur les barricades illustrent désormais en majorité la belle phrase : « La jeunesse est le temps d'étudier la sagesse ; la vieillesse est le temps de la pratiquer. » Nous avons changé d'époque.

Le mot « autorité » vient du latin *auctoritas* et se rattache, par sa racine, au même groupe que *augere* (augmenter), *augure* (celui qui accroît l'autorité d'un acte par l'examen favorable des oiseaux), *augustus* (celui qui renforce par son charisme). Cette idée d'augmentation est fondamentale. L'autorité ne fait pas subir une quelconque chape de plomb sur les subordonnés, mais au contraire élève, améliore, augmente, renforce. Parler avec autorité suscite la confiance et l'espérance. C'est le langage des grands chefs. S'imposer en écrasant les autres est la marque des petits chefs.

Chacun s'accorde à dire que nous traversons une crise sociale de l'autorité, qui accroît la pression sur notre communauté nationale et singulièrement sur ses dirigeants, c'est-à-dire sur tous ceux qui ont une responsabilité dans la Cité. Tout commence d'ailleurs très tôt, puisqu'à l'école il est difficile tout simplement de faire régner l'ordre, le silence et l'obéissance. La contestation de toute contrainte est quasi permanente dans certains lycées ou collèges. Les professeurs, instituteurs, encadrants sont souvent à la peine pour faire reconnaître la valeur de l'autorité socio-éducative. Les parents eux-mêmes souvent contestent les appréciations des professeurs et défendent bec et ongles leur enfant, y compris s'il est indéfendable au niveau scolaire, voire disciplinaire.

Avec mon épouse et mes enfants, nous avons beaucoup déménagé, au gré des différentes mutations. Nous avons fréquenté de nombreuses écoles dans plusieurs régions de France et nous avons assisté à une remise en cause progressive de l'autorité par les parents et les enfants, qui s'opposent aux éducateurs. L'exercice de l'autorité aujourd'hui est plus difficile qu'autrefois et nécessite du courage, parfois même physique, pour notre corps enseignant souvent critiqué, pas toujours suffisamment soutenu face à tant d'incivilités.

J'ai moi-même été instructeur à de multiples reprises. J'ai vu la jeunesse évoluer en quarante-trois ans. Il y a quarante ans, on entrait dans l'armée pour l'aventure, apprendre un métier, avoir un emploi stable. Aujourd'hui, les jeunes cherchent un engagement, une cause, un supplément d'âme. J'ai connu nombre de jeunes non structurés et plutôt en rébellion, contre leurs familles ou la société, qui, en quelques mois, se sont découvert des talents qu'ils ignoraient. Cette mutation se fait par l'action des chefs, mais aussi par la camaraderie, la fraternité, l'esprit de groupe, le respect de chaque personne, considérée comme être unique. Ces jeunes aspirent désormais, sans toujours en être conscients, à l'autorité qui structure, même quand on la conteste – après tout, nous aussi avons été jeunes ! Étymologiquement, le terme « pédagogie » signifie en grec « celui qui conduit l'enfant ».

Les fausses bonnes idées

Le relativisme ambiant ne contribue pas à l'affermissement de l'autorité. C'est pratique, d'une certaine manière. C'est le règne du « *keep cool* » et du « ne te prends pas la tête ». Pierre Manent, dans son livre *La Loi naturelle et les Droits de l'homme*, va jusqu'à affirmer : « La grammaire de la vie humaine s'est réduite pour nous au pâtir et au jouir. » Toute conviction devient suspecte, voire dangereuse, car il faut respecter toutes les sensibilités. Imposer serait nuire à la liberté et à l'égoïsme libéral libertaire. La capacité d'indignation serait dangereuse, plus que vertueuse. La légitimité démocratique serait en fait remise en cause par cette approche brutale. La génération « j'ai le droit ! » finit par produire le « ça va, Manu ? » lancé au président de la République le 18 juin 2018 au mont Valérien, lors des cérémonies de commémoration de l'appel du général de Gaulle.

Pour ma part, je suis convaincu que tout ne se vaut pas. La recherche du bien commun, du beau, du bon, de la vérité, est meilleure que le relativisme, « le luxe et la mollesse », du chacun pour soi. J'aime cette devise militaire : « Le travail pour loi ; l'honneur comme guide. »

Une autre version du relativisme est la faiblesse, le renoncement devant l'ampleur de la tâche et la peur du conflit, qui amènent à l'éviction passive des problèmes ou à une forme de cécité collective. À l'inverse, l'Homme d'autorité fait face et traite les différends, unit, rapproche, soude, parle de fraternité et de cohésion et les pratique. Il en existe heureusement de nombreux.

Le technocrate, lui, ne s'y risque pas, car il a appris que le plus grand mystère de sa charge résidait dans la difficulté du management du personnel, qui ne s'apprend ni dans les livres ni sur le Net. Il sous-traite ces tâches à ses responsables opérationnels et à son directeur des ressources humaines, considéré trop souvent comme l'homme « des basses besognes », quand il devrait au contraire être celui des tâches nobles, car sa mission est de s'occuper de la seule vraie richesse : la personne.

Cette incapacité à décider et cette propension à repousser les choix dans le temps sont une maladie assez répandue dans notre pays. Je l'ai rencontrée ces vingt dernières années dans mes différentes fonctions. La bonne idée est de poursuivre plus avant des études complémentaires, afin de « ne pas décider trop hâtivement un changement qui pourrait se révéler dangereux en raison de ses effets pervers ». On étudie la possibilité de « lancer une expérimentation visant à déterminer la faisabilité éventuelle d'une telle mesure ». Combien de fois n'ai-je entendu cela au sommet de l'État ?

Rien n'illustre mieux cette défaillance structurelle que le projet « Louvois », et la mise en place d'un logiciel unique centralisant la gestion des soldes de tous les militaires. L'État s'y est comporté comme un homme qui souffrirait des dents, mais ne cesserait de remettre à plus tard la visite chez le dentiste dont il sait bien, dans le fond, qu'il devra finir par s'acquitter. C'est seulement quand il a un abcès atrocement douloureux qu'il se rend à l'évidence et va voir son dentiste. Mais il faut alors traiter l'abcès avant de pouvoir s'attaquer au problème initial. Il faut le mettre sous antibiotiques et attendre qu'il soit possible d'opérer. À force d'atermoiements, ce qui était simple est devenu compliqué. C'est ce qui s'est passé avec « Louvois », qui pollue la vie quotidienne des militaires depuis plusieurs années. Un logiciel vieillit au-delà du raisonnable. Parce qu'il marche encore, on attend trop longtemps avant de le changer. Puis, quand il est trop tard, on le remplace dans l'urgence par un logiciel trop peu testé pour être totalement opérationnel. Tout cela en ayant simultanément supprimé des centaines d'effectifs de personnels civils spécialistes de la solde – le salaire des militaire –, tout cela pour remplir les tableaux de la Revue générale des politiques publiques. On perd encore du temps à admettre l'évidence, promettant que tout va finir par se régler. Mais en réalité la situation des militaires empire, et ce sont plusieurs centaines de familles qui se retrouvent, faute de solde versée à temps et au bon montant, au bord du précipice. Alors seulement et à cause du mécontentement qui gronde, on admet qu'il faut agir. L'État cherche des solutions temporaires, forcément imparfaites. Faute d'avoir pris le problème au bon moment et au bon niveau, il est condamné à avoir toujours une solution de retard. À ce jour, le problème n'est d'ailleurs toujours pas réglé de manière pérenne. Je me revois en 2010, quand j'ai été nommé major général : on commençait juste à installer Louvois. Huit ans et mille difficultés plus tard, Louvois est encore en fonction et les militaires en subissent toujours les conséquences… La mauvaise idée qui prospère à l'ombre d'un attentisme mal déguisé en prudence, c'est de vouloir gagner du temps tout en faisant des économies. En espérant fuir la catastrophe, on l'éternise. La circonspection n'est alors que l'alibi du manque de courage, et c'est en réalité la peur qui est aux commandes. Toutes les ficelles apprises dans les grandes écoles peuvent être utilisées les unes après les autres. Les audits, les études complémentaires, les expérimentations, les missions d'étude : tout est bon pour ne pas prendre ses responsabilités. Le célèbre *mille excuses et aucune bonne raison* de Mark Twain est la devise de ce type d'étranges faillites qui sont comme la déclinaison en temps de paix de *l'étrange défaite*.

Une des raisons avancées est, encore et toujours, l'absence de temps. Il est vrai qu'un abattement budgétaire sec et sans préavis ou un tableau d'indicateurs chiffrés de gains de productivité ne protestent que rarement, contrairement à un subordonné, auquel il peut arriver d'énoncer des vérités dérangeantes. L'Homme d'autorité doit pourtant savoir être authentiquement à l'écoute, à moins d'abdiquer tout courage dans les relations humaines et de laisser au canal syndical le monologue d'un dialogue social alors nécessairement dominé par les forces d'affrontement, plutôt que par les forces de proposition. Toute vérité n'est pas forcément agréable à entendre, lorsque l'on est chef, et pourtant la vraie loyauté du subordonné est de dire la vérité. La réussite d'un groupe, quel qu'il soit, est à ce prix.

Une autre tentation est parfois de tendre dans l'exercice de l'autorité vers la séduction. Cette forme déguisée de l'orgueil se termine généralement mal, car la séduction est trop souvent l'art du camouflage, et la réalité rattrape toujours cette forme de comédie humaine.

S'écarter du principe de l'égalité me semble également à proscrire. Le principe dans l'armée, c'est l'égalité parfaite entre les personnes, sans jamais confondre égalité et identité. Quels que soient l'origine, le sexe, la religion, etc., c'est le mérite qui compte pour avancer. À plusieurs reprises, je me suis aperçu que les bénéficiaires d'une forme de discrimination positive ne pouvaient s'empêcher de se demander s'ils devaient une promotion à leur talent ou à leurs caractéristiques personnelles. Évidemment, cette égalité stricte n'est pas contradictoire avec un souci adapté à chaque personne et à chaque difficulté. Ce que j'ai vu fonctionner, c'est la bonification des talents, c'est l'entraide où chacun prête main-forte à l'autre en fonction de ses compétences, de ses appétences et de ses lacunes. Une complémentarité choisie et non pas imposée, un compagnonnage qui exige que les plus anciens parrainent les plus jeunes, surtout ceux qui ont du mal à suivre. Je trouve que les armées ont sur ce plan une approche équilibrée du sujet : personne ne doit être abandonné, mais chacun doit faire l'effort nécessaire pour réussir. Je préfère le concept de l'ascension sociale à la discrimination positive, le mérite à la facilité, le modèle au contre-modèle. Revenons à la définition d'*auctoritas*, qui vise à augmenter, à tirer vers le haut, à élever. Il y a d'ailleurs un lien avec le mot « éducation », qui vise aussi à tirer vers le haut.

Pas de nivellement par la base, mais pas non plus d'élitisme forcené. La vraie autorité se moque de l'autorité. Cette recherche de l'autorité et de la réussite à tout prix dans certains milieux est tout aussi néfaste. On ne naît pas chef ; on le devient par le travail et par l'effort, mais surtout par l'écoute, le respect et l'estime des autres. L'autorité passe par la confiance et pas par la seule compétence. Vous ferez autorité par votre expertise, mais surtout par votre charisme, vos qualités de leadership et d'entraînement. La nécessaire proximité du chef l'éloigne de l'élitisme parfois méprisant ou tout simplement ignorant.

Le chef se voit ; il se sent. Le subordonné lui obéit d'amitié, pas par obligation. Certaines grandes écoles devraient s'en inspirer ; certaines familles aussi. La course aux diplômes ne fait pas tout. Le meilleur des diplômes est celui qui donne aux subordonnés l'envie de vous servir et de travailler avec vous. Je l'ai mesuré avec certains jeunes officiers, parfois moins performants que des anciens sous-officiers, rompus à cet art du commandement. Ce n'est pas parce qu'on

49

sort de Saint-Cyr qu'on sait forcément commander
aussi bien qu'un sous-officier expérimenté et qui a le
sens du commandement. Parfois, l'expérience prime
sur le diplôme. Aucun concours ne vous apprend,
comme l'expérience de terrain, à connaître le cœur
des hommes. J'ai d'ailleurs constaté que la richesse
d'un groupe, c'est sa diversité, hommes, femmes,
jeunes, anciens, provenant d'armées différentes avec
des cursus diversifiés et des milieux sociaux d'origine divers. J'ai mis en œuvre cette conviction dans
la constitution des équipes qui m'entouraient. Le vrai
critère de l'autorité assumée et réussie est assis simultanément sur la pédagogie, la force d'avancer, l'oubli
de soi et l'ouverture aux autres.

Définir une stratégie avec une vision de long terme
qui donne du sens ; instaurer de l'autorité pour mieux
fédérer. Ces deux notions complémentaires m'ont
fait prendre de la hauteur dans l'espace et dans le
temps et m'ont éloigné du double spectre toujours
possible : le zapping du temps court ou la facilité de
la démagogie.

Fort de ces deux atouts et d'une expérience de plus
de quarante ans de vie militaire, j'ai aussi observé que
le chef s'impose d'abord quand il en impose par son
exemplarité.

Chapitre 2

Le chef doit être avant tout exemplaire

La première recommandation que je fais à toute personne responsable est d'être exemplaire. C'est le premier courage qu'exige l'action. Celle-ci doit s'inscrire dans un cadre légal, mais elle n'est rien si elle n'est pas dictée par des valeurs éthiques, à la hauteur de la complexité de notre monde. En toutes circonstances, le chef donne le ton. Dans l'action, l'autorité que vous tirez de votre position ne suffit pas. L'exemple que donne le détenteur du pouvoir porte plus que sa voix ; c'est lui qu'on retient. De ce point de vue, le chef doit se maîtriser pour maîtriser le pouvoir qu'il exerce.

Si le chef se laisse dominer par ses émotions, s'il n'a pas de références morales suffisantes, il s'expose aux plus graves déconvenues. Sur ce plan, on mesure les effets désastreux de certains comportements politiques, minoritaires, frappant l'opinion publique.

Les affaires se sont multipliées ces dernières années, liées notamment à la flatterie des ego, à l'argent, au sexe ou au pouvoir, qui sont généralement les quatre sources principales de déviance comportementale ou éthique. La tempérance, l'exigence envers soi-même et la vigilance par rapport à ses propres lacunes sont essentielles. Sur ce plan, méfions-nous de l'orgueil qui aveugle. Méfions-nous aussi des jugements hâtifs, de la suspicion systématique ou de la dérision corrosive. Ne croyons pas, à l'inverse, que l'intégrité suffise à garantir l'excellence d'une politique.

Pour être exemplaire et donc crédible, le mieux est déjà de rester naturel. Le chef ne se distingue pas par la force de ses maxillaires ou encore par la distance qu'il instaure entre ses équipes et lui. C'est son rôle de créer cette dynamique de l'action, de créer « l'ambiance », de révéler ses talents. Il ne peut y parvenir que s'il sait convaincre, que s'il accepte de se livrer, pas dans la communication, mais en vérité. Être sérieux sans se prendre au sérieux. L'essentiel, c'est d'avoir un style, et ce style, « c'est l'homme même », disait Buffon. Voilà la meilleure façon d'être prévisible par ses équipes, qui n'ont plus besoin d'ordres pour agir, car elles connaissent le chef dans ses réactions, qui sont prédictibles. L'exemplarité précède ainsi la subsidiarité. Les grands chefs sont admirés pour ce qu'ils sont et ce qu'ils font. Ils sont admirables pour ce qu'ils délèguent. Ils le font d'autant plus facilement que leurs équipes agissent dans le sens qu'ils souhaitent. Pardonnez cet exemple qui agacera peut-être ceux qui n'aiment pas le football, mais deux illustrations me viennent à l'esprit : le leadership sur le terrain de Michel Platini avec l'équipe de France, championne d'Europe en 1984, et de Zinedine Zidane, avec l'équipe nationale en 1998. L'exemple du second est encore plus intéressant, car il a poursuivi ce leadership comme entraîneur, d'abord inexpérimenté, mais ô combien efficace, puisqu'il a mené le Real Madrid avec, notamment, trois titres en Ligue des champions et plusieurs records d'invincibilité.

L'exemplarité entraîne la crédibilité

L'exemple se transmet. Nos anciens nous ont légué deux trésors : la liberté et l'exemple. Les combats qu'ils ont menés, hier, nous montrent le chemin à suivre, aujourd'hui. Grâce à eux, non seulement nous sommes libres, mais nous savons comment le rester. « *More majorum* ». À la manière de nos anciens !

Une démonstration vaudra toujours mieux qu'un long discours verbeux. L'apprentissage qui ne s'appuierait pas sur elle est du temps perdu. C'est là le principe de base de toute pédagogie. L'exemple enseigne.

On n'a jamais rien trouvé de plus solide, ni de plus efficace, que l'exemplarité comme fondement d'un management réussi. L'exemple commande. Il s'agit moins pour le chef de « faire un exemple » que d'« être un exemple » !

Il est parfois des moments d'extrême difficulté, de doute, de faiblesse, quand le collaborateur a besoin d'un repère auquel se raccrocher pour repartir. Ce repère, il le trouve dans l'exemple de son collègue, momentanément plus résilient. L'exemple encourage. Demain, peut-être, les rôles seront inversés. C'est là le mystère et la force de l'esprit de corps.

L'exemple protège. Dans le brouillard de notre société, où la limite entre le bien et le mal n'est plus si évidente, l'exemplarité de nos comportements et la fidélité à nos principes sont des garanties indispensables, protectrices de toute dérive comportementale.

L'exemple élève. Je parle ici de l'exemplarité vis-à-vis de soi-même ; ce combat quotidien qui nous permet de nous regarder dans la glace, le matin, et de grandir, un petit peu, chaque jour. Il porte un nom que l'on connaît bien dans l'armée, mais qui ne lui est pas réservé : l'honneur.

On honore son supérieur, comme on lui obéit avec le respect qui lui est dû. Ce respect se mérite par l'exemple. On peut l'étendre évidemment à la fidélité. Bien des héros se sont fait tuer pour leur chef et pour la France. Le drapeau français brodé au fil d'or comporte cette inscription : « Honneur et Patrie ». Le symbole est lourd de sens et concerne tous les citoyens français. Les militaires n'en ont pas le monopole. On est fidèle à son chef, à son entreprise, quand ils incarnent du sens et des valeurs par l'exemplarité de ce qu'ils sont, par l'honneur qu'ils incarnent, non les honneurs.

Enfin, l'exemple se construit sur la cohérence entre les paroles et les actes. Il ordonne, pas dans le sens de « donner un ordre », mais dans le sens de « mettre les choses en ordre ». Pour y parvenir, il ne faut pas chercher à être irréprochable, à forcer sa nature ; mais seulement à faire son devoir. Ne pas prendre la lumière, mais la faire rayonner. Le chef est celui qui crée une atmosphère, une ambiance, un climat.

Et puis, comment oser demander de faire quelque chose, en montrant l'inverse ? Il y va de la crédibilité du chef vis-à-vis de ses subordonnés, de ses cadres et de ses chefs eux-mêmes.

Lyautey, là encore, était en avance lorsqu'il demandait que l'on ajoute à l'instruction de l'éducation, visant ainsi en particulier l'exemplarité comportementale des officiers. Cet objectif de l'éducation au sens large du terme concerne toute personne, pas simplement les militaires. En réalité, chacun est responsable de ses propres décisions.

Les quatre dimensions du chef

Un bon dirigeant est nécessairement habité par sa fonction, engagé pleinement à la tâche. Il doit veiller à son équilibre. Le surmenage n'épargne personne. Quand un chef en est victime, les conséquences peuvent être dramatiques. Il faut rester lucide et conscient de ses propres limites. Je me souviens d'un général, un ami proche, d'une remarquable intelligence, qui en était venu à nourrir des tentations suicidaires, englouti dans le quotidien et incapable de reprendre son souffle. Cherchant la perfection, il passait de longues nuits à rattraper ce qu'il n'avait pas pu faire dans la journée. C'est ainsi qu'il est arrivé à l'épuisement et a sombré dans la dépression. Grâce à la vigilance de notre médecin, il s'en est sorti, mais cela m'a servi de leçon : être exemplaire nécessite un équilibre personnel.

À l'expérience de ce que j'ai vécu, un être humain comporte au moins quatre dimensions, sources d'un bonheur équilibré.

La première est l'équilibre du corps. Tout dirigeant doit écouter son corps, le connaître et le respecter. Combien de difficultés seraient évitées si certains prenaient le temps de faire du sport régulièrement et d'avoir une hygiène de vie à la hauteur des responsabilités qu'ils exercent ? Plus on vieillit, plus cela exige un effort, une rigueur. Cela passe par la pratique régulière du sport, une alimentation équilibrée et une vie sans excès. Ce souci de soi fait partie de la charge des responsabilités. « À quarante ans, on a la gueule que l'on mérite » : la phrase est certes un peu brutale, mais elle n'en conserve pas moins un fond de vérité. Être en forme physique est un devoir, une exigence pour tout responsable, qui se doit d'être à 100 % de ses moyens lors de chaque rendez-vous. Dès que l'on est fatigué, on est moins performant, moins lucide, plus irascible. Ce n'est pas un point secondaire et cela est maîtrisable. Je trouve que cette dimension physique n'est pas suffisamment prise en compte dans les systèmes français de formation et trop souvent laissée à l'initiative des étudiants. Ce n'est pas le cas chez nos amis anglo-saxons. Toute responsabilité comporte une forme de sacerdoce. N'est pas Churchill qui veut avec son « *no sport* » !

« Un esprit sain dans un corps sain. » La seconde dimension est liée à l'intelligence de l'Homme. En philosophie, une des définitions de l'intelligence est la faculté d'adaptation. Cette dimension est l'objet de toutes les attentions dans nos systèmes de formation. Quand on voit la masse des données assimilées par les étudiants préparant les écoles de commerce ou les concours de l'ENA et de Polytechnique, je ne suis pas inquiet sur leur capacité à se mouvoir et à évoluer dans différents contextes. Nos élites ne manquent pas d'intelligence. Je reviens sur ce que je disais préalablement sur la nécessité du bon sens qui simplifie la complexité. Trop d'intelligence nuit parfois à l'intelligence. Quand j'étais responsable du cabinet militaire du Premier ministre entre 2008 et 2010, j'ai présidé à Matignon de nombreuses réunions interministérielles. Parfois, je m'étonnais face à tant de capacités d'analyse, à tant de maîtrise de l'abstraction, tant de qualités qui tournaient à vide, planaient à mille lieues du simple bon sens et ne débouchaient sur la moindre solution...

Le troisième volet concerne le cœur de l'Homme. Il est fondamental et trop oublié. Quand on veut convaincre, entraîner, motiver, il faut donner du sens à l'action. Pour cela, l'intelligence ne suffit pas. Il faut faire adhérer, avec la part d'irrationnel que comporte tout être humain. Il faut donc mettre de la flamme et de la passion, pour que les équipes aient envie de se mettre en mouvement. La passion n'égare pas, pour autant qu'elle est maîtrisée. Notre société, à la fois matérialiste et intéressée par le profit, pourrait avoir tendance à négliger cette dimension de la conviction, de la sincérité vraie, des tripes tout simplement. Tout ne peut être le fruit d'un raisonnement intellectuel, logique et quasi mécanique. Je recommande de bannir tout cynisme, car la trahison de la confiance généralement se paie cher. Il faut mettre de l'affect, de la sensibilité, du cœur. Les équipes le rendent ensuite par du cœur à l'ouvrage.

La quatrième dimension est l'assouvissement du besoin transcendantal inhérent à tout Homme pour être en paix totale, quelles que soient ses convictions en la matière. Le regain des méthodes douces de méditation et le besoin de silence de nos concitoyens sont révélateurs sur ce plan. Je note d'ailleurs que de plus en plus d'entreprises fournissent des lieux de calme, de silence, pour que les membres du personnel puissent, en particulier au moment de la pause déjeuner, se détendre et méditer chacun en fonction de ses aspirations.

Toute personne aspire à élever son esprit, à nourrir son âme et à puiser à la source pour donner du sens et voir loin. Nous sommes faits pour des étendues plus vastes que les surfaces emmurées de nos horizons terrestres. L'insuffisance de dimension transcendantale de nos sociétés occidentales, largement inhibées par un matérialisme outrancier, ajoute une raison pour nos jeunes de se tourner vers Daech et l'islam radical. N'oublions pas la phrase de Malraux : « Le XXIe siècle sera spirituel ou ne sera pas. »

Le chef est un homme d'équilibre

À partir de ces quatre dimensions, tout dirigeant exemplaire est un homme d'équilibre. L'équilibre n'est pas une qualité, mais un état. Un état jamais définitivement acquis, souvent précaire et, pourtant, absolument indispensable, parce qu'il offre la stabilité sans laquelle rien ne se construit, pas même la victoire !

Seul un équilibre profondément enraciné peut permettre de penser et de décider juste dans l'urgence. En 2013, les terroristes islamistes radicaux s'approchent dangereusement de Bamako. Le basculement d'un pays tout entier est une question d'heures. Il faut prendre la bonne décision et surtout il faut la prendre vite. Un conseil restreint de défense se tient à l'Élysée. La pression est là, mais elle ne déséquilibre pas le raisonnement. La décision est aussitôt prise et des hélicoptères décollent dans la foulée pour arrêter les colonnes des terroristes. À quelques heures près, Bamako aurait pu tomber.

C'est la stabilité, l'équilibre, le calme qui nous ont permis de prendre de vitesse une crise majeure. Je cite parfois cet exemple aux grands dirigeants que je conseille pour les inciter à travailler leur équilibre au quotidien pour qu'il ne leur fasse pas défaut quand le vent se met à souffler.

Dans un monde en vibration constante, où chaque jour est plus instable et plus incertain, l'idée d'équilibre semble pourtant dépassée. L'écrivain Georges Duhamel faisait déjà ce constat, en 1937 : « Le monde n'est pas construit pour l'équilibre. Le monde est désordre. L'équilibre n'est pas la règle, c'est l'exception. » Mais il ajoutait, aussitôt : « Je fais le serment de travailler pour l'ordre et l'équilibre. »

Cette recherche incessante d'un meilleur équilibre vise, par exemple pour les armées, la stabilité du monde et la protection de la France et des Français. Elle porte un nom : la paix, « notre seule conquête ». Mais cette quête d'équilibre est, en réalité, universelle. Elle doit s'étendre à toutes les dimensions de la vie d'homme et de femme, pour garder ce que les anciens appelaient « le sens de la mesure ».

Équilibre entre passion et raison, d'abord. La passion, parce qu'elle donne du mouvement, de la saveur et du relief à la vie ; la raison, parce qu'elle préserve du piège de l'impulsivité et de l'excès : excès de confiance, excès de zèle, excès de pouvoir. Le général Weygand notait à propos du maréchal Foch : « Il était d'autant plus calme que la situation était plus grave. »

Équilibre entre pensée et action, ensuite. Car l'intrépidité sans réflexion préalable ne sera jamais que stupidité. Avant toute action, il faut peser le pour et le contre ; ne pas céder sur ce que l'on considère être les valeurs de référence ; ne pas considérer, systématiquement, comme improbable ce qui contrarie les plans initiaux, mais le prendre en compte pour ajuster l'action et se lancer.

Équilibre entre tradition et modernité, encore. La tradition, parce que toute personne a besoin d'enracinement. La modernité, parce que le monde est en mouvement et que cette évolution doit être comprise pour être éclairée et accompagnée. De l'amont vient la sécurité, de l'aval le mouvement. Que le second fasse défaut et c'est l'immobilisme, que le premier n'assure pas et c'est la fuite en avant.

Équilibre entre vie professionnelle et vie personnelle, enfin. Un défi rendu difficile par l'accélération du temps et la multiplication des sollicitations. Par exemple, rien ne sert, en effet, à une entreprise de former et d'entraîner ses personnels, si cela se fait au mépris de ce qui fonde leur équilibre : la famille, les amis, le temps pour soi !

Au-delà de ces quelques pistes, toute organisation souffre souvent de la difficulté du dialogue entre les équipes des opérationnels et des fonctionnels. Là encore, la préservation d'une double approche est vitale, car tout déséquilibre entraîne, tôt ou tard, la bascule de l'ensemble.

L'équilibre ne se résume donc pas à un « entre-deux », à un immobilisme baigné d'eau tiède et rongé d'indécision. L'équilibre est, au contraire, un mouvement d'ajustement permanent qui permet de rester stable au cap et debout. Il ouvre sur l'unité et l'harmonie, en ne niant pas les différences, mais en cherchant à les accorder pour le plus grand bien commun et non pas les intérêts individuels des dirigeants.

Quittons ce monde d'opposition idéologique qui inhibe et réduit entre les progressistes et les réactionnaires, les sociaux et les gens d'ordre, les patriotes et les mondialistes, ceux qui sont pour et ceux qui sont contre. La mesure et l'équilibre mènent à l'unité et à l'exemplarité. C'est ainsi que l'on simplifie la complexité, pour tracer un cap compréhensible et pour mener ses équipes vers le succès.

Tout ce qui est excessif n'aide pas à avancer. Un compromis n'est pas nécessairement une compromission ou une lâcheté. L'univers manichéen nous enferme trop souvent dans une approche qui oppose les amis et les ennemis. Les vraies paix dans l'histoire du monde ont souvent été obtenues grâce à des hommes et des femmes de bonne volonté qui ont su mettre leur ego sous le boisseau de l'intérêt général. Un homme de conviction n'est pas un homme d'abdication, mais il doit aussi faire passer avant tout le bien commun de sa famille, de son association, de son entreprise, de son pays et de l'humanité. Le mieux est parfois l'ennemi du bien.

L'équilibre est une des formes de l'exemplarité, ce long et exigeant chemin. Elle requiert de l'abnégation, qui peut amener le dirigeant à sacrifier de son temps, quand cela est nécessaire et au moment opportun, car le subordonné est sensible à la disponibilité du chef, à l'instant où il en a besoin. Donner l'exemple de disponibilité est le plus simple, le plus constant, le plus réel des actes de la charité fraternelle. On perd ce sens de l'amour, quand on fait du travail une servitude au lieu d'en faire un service. On ne peut pas travailler sans servir quelqu'un : celui qui extrait le pétrole sur une plateforme isolée sert celui qui se chauffera ; le fonctionnaire administratif qui rédige des dossiers du matin au soir sert ceux qui, grâce à ces papiers, recevront quelque argent ou quelque facilité ; le magasinier sert celui qui vient se ravitailler... Travailler, c'est presque toujours donner de la joie quelque part. Servir... Toujours servir. Comme le disait déjà Albert Einstein : « Il est grand temps de substituer à l'idéal du succès l'idéal du service. »

Car la première exemplarité est d'avoir le sens des autres. Exemplarité rime avec humanité.

Chapitre 3

« C'est l'Homme
qu'il s'agit de sauver »

Le général de Gaulle a déclaré le 25 mars 1959, lors d'une conférence de presse : « En notre temps, la seule querelle qui vaille est celle de l'Homme. C'est l'Homme qu'il s'agit de sauver, de faire vivre et de développer. » Cette phrase n'a rien perdu de son actualité soixante ans plus tard.

Remettre l'Homme au centre

Cela passe d'abord par du temps réservé pour garder contact avec ses équipes, toutes ses équipes, avec chacun de ses membres, au moins leurs représentants, quelles que soient les milliers de choses à faire, toutes plus urgentes les unes que les autres. Il faut communiquer, en commençant par ses équipes rapprochées, qui sont parfois paradoxalement un peu oubliées, tant elles sont dévouées. Ce sont pourtant elles qui encaissent la charge lourde de gérer les à-coups, les coups durs et le rythme élevé, à vos côtés. Bien sûr, la proximité du chef leur donne souvent l'information pour comprendre l'essentiel plus vite. Me revient en mémoire le visage de cet homme meurtri, collaborateur direct du grand patron d'un groupe international. Frappé par son mal-être, je me suis arrêté pour échanger quelques mots, et fus étonné de l'entendre me confier, navré, qu'il n'arrivait plus à comprendre où l'on voulait aller, qu'il était tenaillé par une insatisfaction profonde. Très vite, il est apparu évident qu'il ne parvenait tout simplement pas à voir son chef, emporté par un tourbillon d'activités et la masse de soucis qui l'étreignaient. Combien de dirigeants considèrent à tort que si leurs collaborateurs sont là, près d'eux, c'est qu'ils en connaissent et en acceptent les grandeurs et les servitudes ! Rien ne peut remplacer l'attention et la considération pour créer des liens de qualité, pour dissiper des malentendus, pour surmonter les difficultés.

Compte tenu de leur investissement, les personnes proches du dirigeant peuvent de temps en temps avoir la primeur d'une petite conversation avec leur chef, qui, au passage, prend la température de son premier cercle, sans lequel il ne peut rien. Comment être crédible si vous prétendez donner la priorité à l'Homme et que vous ne le faites pas vous-même ?

À Paris, où le stress règne, les gens se prennent parfois pour des importants, s'agitent avec un dossier le plus épais possible sous le bras, l'air préoccupé, sans pour autant se tourner vers les autres... Autant de fautes psychologiques aux conséquences dévastatrices ! En revanche, un petit mot, un regard complice, ne serait-ce qu'une poignée de main, sont d'une grande efficacité. Il ne faut jamais oublier que derrière une étiquette, un poste, un subordonné, une fonction, il y a une personne, avec ses qualités et ses défauts, mais aussi ses soucis, ses difficultés d'ordres professionnel et privé. Une mauvaise mine, une réponse énigmatique, un sourire crispé ne doivent pas être ignorés ou passés sous silence, sous prétexte que l'on est déjà débordé. Le bon chef est attentif, réconforte et encourage à reprendre courage.

Le souci de la personne n'attend pas. Le chômage du conjoint, la maladie de l'enfant, les difficultés conjugales, les addictions, la solitude, le handicap ont des impacts importants sur la performance, s'ils restent ignorés. Le temps de l'écoute est de retour. Selon une étude récente menée pour le groupe de protection sociale Malakoff Médéric, plus d'un salarié sur deux avoue connaître une situation de fragilité professionnelle. 56 % des personnes interrogées reconnaissent être soumises à une situation qui complique leur vie, au point de nuire à leur capacité de travail.

C'est l'épreuve de vérité pour le chef que j'essayais modestement d'être. Il se doit de s'intéresser à ses proches et de chercher à saisir la poésie de leur caractère. Chaque matin, en arrivant, je saluais mes collaborateurs directs : conducteur, officier de sécurité, assistante, chef de cabinet, ainsi que toutes les personnes, que je croisais au hasard du trajet à pied. J'essayais de le faire avec un petit mot, le plus pertinent possible, persuadé que chaque être est unique et qu'il ne suffit pas de parler de solidarité toute la journée ; il faut avant tout la pratiquer. J'ai appris qu'au-delà du « vous allez bien ? » et de la réponse automatique « oui, mon général », il fallait discerner le ton et le regard pour, si nécessaire, aller plus loin. D'ailleurs, on peut ainsi penser perdre du temps, mais en réalité on en gagne, car, souvent, il m'est arrivé d'apprendre des informations utiles, voire importantes, qui m'ont aidé à mieux comprendre certains sujets et ensuite à mieux décider.

Cela s'appelle l'humanité et, même si cela n'est pas quantifiable et n'entre pas dans des tableaux mesurant la performance, je recommande de le faire, pas par calcul, mais juste par efficacité et intérêt porté aux autres que soi. La capacité relationnelle du chef est la première condition du lien social. Le modèle anthropologique qui en découle fait de lui un « mailleur » entre les personnes, avec en priorité le souci des plus faibles, des plus fragiles ; dans l'armée il s'agit d'abord de nos blessés.

Ensuite, il faut penser à ses grands subordonnés qui doivent pouvoir bénéficier des clefs de lecture appropriées en temps réel. L'information procède aussi de cette volonté de cultiver des relations humaines apaisées et confiantes. Diriger, c'est aussi penser en permanence à répercuter aux équipes les ordres venant du haut. J'ai constaté à mes dépens, surtout dans les premières années de mon parcours, que, lorsque l'on rentre d'une réunion à l'échelon supérieur, il faut immédiatement penser, avant de l'oublier, à répercuter les orientations, les ordres, les prescriptions évoqués afin qu'ils soient mis en œuvre. Jeune capitaine, commandant mon escadron d'éclairage de 150 hommes à Valdahon, il m'est arrivé d'oublier de débriefer une réunion baptisée « Grand Rapport » et présidée par le colonel chef de corps. Pas étonnant ensuite que les ordres n'aient pas été exécutés… Mes subordonnés se sont d'ailleurs chargés à l'époque de me le rappeler, car j'essayais à ma façon de cultiver l'obéissance d'amitié. Cela m'a servi de leçon ! Le mieux est de le faire le plus vite possible, et à ce titre, de programmer dans l'emploi du temps ce débriefing attendu par les équipes. Le risque, sinon, est d'oublier et de constater que les ordres n'ont pas été exécutés, tout simplement parce qu'ils n'ont pas été donnés ! Quand je rentrais tous les mercredis de l'Élysée où se tenait le conseil restreint de défense, j'organisais, dès mon retour à 10 heures à Balard, une réunion de restitution des sujets évoqués et des éventuelles décisions prises.

Toujours dans le même souci de communication interne, il est bon de temps en temps d'organiser un séminaire des cadres intermédiaires (pour les armées, ce sont essentiellement les généraux en situation de commandement), d'une demi-journée, voire plus si nécessaire. Cette réunion vise à recaler deux à trois fois par an les responsables chargés d'expliquer sur le terrain la vision, la direction, l'objectif, afin d'être sûr que la personne au bout de la chaîne aura accès aux éléments de compréhension des décisions. On doit pouvoir en quelques mots expliquer la marque de fabrique de l'entreprise, l'esprit « maison ». Créer et entretenir cette atmosphère, cette ambiance, cette convivialité, est fondamental, si l'on veut que la motivation soit présente au même moment sur les mêmes objectifs. Ainsi, derrière Jean-Yves Le Drian, alors ministre de la Défense, et aux côtés des grands responsables du ministère, nous avons fait, en 2016, le tour des régions pour expliquer les réformes « Défense 2020 » et cette initiative, je le crois, avait été appréciée. Elle nous avait permis d'échanger directement avec les personnels de plusieurs unités et de transmettre l'information à plusieurs centaines de personnes. L'information ne passe pas aussi facilement qu'on l'imagine. Je m'en suis rendu compte plus d'une fois, lors des footings matinaux que je faisais avec des personnels lors de mes visites hebdomadaires auprès de nos forces, en France ou en opérations extérieures. C'est au cours de ces échanges parfois essoufflés que j'obtenais une vision souvent objective du quotidien du soldat, des difficultés parfois tues ou cachées et pourtant essentielles.

Se sentir considéré, informé, utile, essentiel même : dans tous les domaines, la personne est la clef. Les relations humaines doivent s'émanciper du contrôle de gestion. On ne compte pas son temps lorsque l'on écoute, discute, argumente pour convaincre. Il faut du cœur, des tripes, de la sincérité, de la vérité et de la crédibilité, et cela passe par l'exemplarité. La boucle est bouclée.

Risque de déshumanisation

On ne prend pas assez garde à la déshumanisation de notre société. Plus on ignore les autres, plus

les problèmes humains se manifestent, plus les difficultés apparaissent et plus il faut de temps pour
les résoudre. Le cercle vicieux se met en place de
manière indicible, mais rapidement visible et percep-
tible. L'homme n'est pas une machine qui carbure à
l'efficience, mais d'abord à la prise en compte de la
valeur individuelle. Quand les difficultés humaines
apparaissent, ce n'est pas comme un sujet banal qui
peut attendre. Un abcès de fixation, une incompréhension chez quelqu'un ou dans un groupe peut rapidement dégénérer. C'est d'ailleurs pour cela qu'il
faut toujours garder de la souplesse dans les agendas
pour traiter ce genre d'urgence, qui doit être considérée comme telle, au même titre qu'un contrat qui
nous échapperait.

L'enrichissement mutuel des conversations de trot-
toir est parfois plus efficace que les réunions intermi-
nables et programmées, où les participants tiennent
une posture de façade et sont là trop souvent pour
« bloquer le système » et éviter toute décision qui serait préjudiciable à leur corporation, leur ministère,
leur armée, leur entreprise, leur association. Je cari-
cature à peine le fonctionnement actuel de notre pays
marqué par ses origines gauloises, chacun étant dans
sa hutte en bois. Il y a une différence par rapport
à l'ère de Vercingétorix, c'est que les Gaulois aujourd'hui sont plus stressés, parce que plus pressés !

Parfois, dans certaines entités civiles que je fréquente maintenant, j'ai un peu l'impression d'être un « Indien dans la ville », en serrant la main, en discutant et en m'intéressant aux autres, surtout aux plus petits dans la hiérarchie, dans l'ascenseur ou le couloir.

La vraie richesse est chez les autres. J'écrirais même que le vrai paradis, c'est les autres. Pour peu qu'on se donne la peine de les considérer, qu'on prenne le temps de leur parler « gratuitement ». En apparence, c'est inefficace, chronophage. En réalité, se décentrer est un mode de management très efficace. On est toujours récompensé d'avoir « gaspillé » cinq minutes de son précieux temps à discuter avec un de ses collaborateurs. C'est dans l'altérité qu'on reçoit le plus ; c'est elle qui permet de gagner en intelligence collective. Il ne faut y voir ni paternalisme ni démagogie. « Le superflu, chose très nécessaire », disait Voltaire.

Je suis frappé de constater à quel point ce qui peut paraître pour du bon sens ne l'est pas. Le bon sens, l'humanité, la prise en compte sincère des subordonnés ne sont pas des matières suffisamment enseignées dans les écoles de formation de nos élites. Celles-ci proposent un enseignement général et technique de grande qualité, mais, sur le plan humain, il y a incontestablement des manques et des progrès à faire. C'est une des raisons pour lesquelles j'ai décidé de consacrer une grande partie de mon énergie et de ma nouvelle vie à améliorer la prise en compte du facteur humain, en particulier dans les processus de transformation d'organisation. J'y vois là un enjeu majeur pour l'efficacité de nos entreprises.

Société du zapping

Or, il est clair que nous sommes dans une civilisation du temps court, qui nous tire tous vers l'immédiateté. Les sollicitations sont nombreuses. On peut aller en Australie, à l'autre bout du monde, pour une réunion en aller-retour en à peine plus de quarante-huit heures. Les moyens de transport multiples, la société du loisir, le « vibrionnement » de nos activités nous tirent vers une vie où le temps finalement devient un facteur décisionnel, là où il devrait être une simple variable d'ajustement. Plusieurs fois, dans mon agenda, j'ai constaté que le créneau de temps conditionnait telle ou telle activité. J'ai demandé le raisonnement inverse : quel est le temps nécessaire pour réaliser correctement telle visite, en se gardant évidemment du temps pour les rencontres avec les personnes, et comment peut-on aménager ensuite le reste de l'agenda ? Le dirigeant doit garder prise sur son agenda et sur sa vie. Sinon, il devient l'otage du temps.

Notre société du zapping n'arrange rien à l'affaire. Ces dernières décennies, notre mode de vie a changé. Pour s'en convaincre, il suffit de regarder comment vivent les jeunes. Les uns regardent encore un peu la télévision, surtout les chaînes d'information en continu ; les autres ne sont que sur les réseaux sociaux, les écrans de tous types et l'activité digitale. On communique par écran interposé. On ne sait plus se parler et prendre le temps de discuter. Et surtout, la vie est entrecoupée de courts messages (mails, SMS, tweets, etc.), dont nos jeunes (et d'ailleurs moins jeunes aussi !) ont du mal à s'abstraire. Ils sont dans le bruit et l'agitation. Ils font ce dont ils ont envie, quand ils en ont envie. Leur vie est disruptive et fragmentée en permanence. De puissants groupes, en Californie et en Chine, consacrent des moyens colossaux à pirater l'attention de la jeunesse. Il est d'ailleurs frappant d'apprendre comment les magnats de ces mêmes groupes élèvent leurs enfants, soucieux de les préserver au maximum des écrans et des *brain hackers* qui fondent leur fortune...

C'est la société du zapping et du temps interrompu. On a peur de s'engager dans la durée et de perdre sa liberté. La patience, qui façonne les esprits, la détermination, qui est le courage du temps long, disparaissent, emportées dans ce flot de petites séquences et dans ce flux d'informations. Il faut vivre l'instant présent. On verra pour la suite. Pour les dirigeants, cela se traduit par une difficulté de fidélisation des personnels, qui, nourris par le zapping, non bénéficiaires d'une éducation stable, ont du mal à inscrire leur action dans la constance et veulent changer d'orientation fréquemment. Les armées n'échappent pas à cette difficulté. Elles recrutent bien et fidélisent plus difficilement. Elles voudraient que les jeunes s'engagent pour sept ou huit ans, mais souvent, après leur premier contrat de trois ou cinq ans, ils partent, non par insatisfaction ou mécontentement, mais parce qu'ils ont envie d'ailleurs. Force est d'admettre que le régime de rémunération dans la fonction publique encourage ces départs, en particulier dans les filières critiques (cyber, infrastructures...), car non concurrentielles avec le secteur privé. Cet attrait de la mobilité peut à certains égards être positif, mais c'est un facteur de difficulté supplémentaire pour une institution qui investit dans la formation et se voit confrontée à un turn-over accéléré.

« La mode, c'est ce qui se démode. » Notre société médiatique de l'instantané surfe sur ces phénomènes de mode et de mouvement permanent. La réflexion se banalise et se situe de plus en plus en surface. Elle évolue comme sur une patinoire. Tout point fixe est une réticence au changement et à la modernité. Le mieux pour être heureux est d'être de nulle part ou de partout. L'espace et le temps se perdent dans le trou noir du nihilisme. Ce qui explique la popularité des armées aujourd'hui dans notre société est, certes, que l'on protège les Français et qu'ils en sont reconnaissants aux militaires face à des menaces mieux perceptibles, mais c'est peut-être surtout que l'institution militaire a conservé dans le temps ses valeurs fondatrices, qui ont toujours constitué sa force. Une sorte de point fixe dans ce tourbillon de zapping, de changement et de modes. La première de ces valeurs est le souci de la personne dans la durée et quel que soit le temps nécessaire.

Pour l'obéissance d'amitié

Penser que le collaborateur obéit, car il est là pour cela, et s'il n'est pas content, qu'il n'a qu'à faire autre chose, est une vision primaire, décalée, rétrograde et dangereuse. On l'entend et cela me navre. Souvent, je comprends les réactions syndicales, quand j'observe certains comportements cyniques, bassement matériels et dénués de tout humanisme élémentaire. Cela arrive même au sommet de l'État, bien à l'abri derrière le pseudo-intérêt général, qui a bon dos. La finance rend parfois le cœur sec et la rancune tenace. Il est temps de remettre de l'épaisseur, du sentiment, de la générosité, de la gratuité et du vrai sens de l'État, qui, je me permets de le rappeler, doit demeurer au service de la Nation et donc des citoyens. Il est temps de remettre de la dignité, au lieu de la polémique, de la charité, au lieu du cynisme, du sens des autres, plutôt que la revanche personnelle. La haine est mauvaise conseillère. Ni Talleyrand ni Fouché ne sont mes modèles, quelles qu'aient été leur habileté et leur intelligence. Je préfère la bienveillance.

Sur l'échelle de la motivation des salariés, quand on est à 2 sur 10, on constate très vite que seul le minimum est fait et que l'efficacité s'en ressent. Quant à la cohésion, qui repose sur la connaissance mutuelle et la bonne volonté, si elle n'existe pas suffisamment, le groupe en souffre et les initiatives se font rares. On attend les ordres... Comme la discipline est la force principale des armées, il peut y avoir des situations où des subordonnés attendent l'ordre plutôt que de prendre une initiative à leur niveau. L'armée, d'après ce que j'observe depuis un an, n'a d'ailleurs pas le monopole de ce phénomène...

À l'inverse, quand un groupe est bien commandé par un chef attentionné et à l'écoute de ses collaborateurs, il passe à 8 sur l'échelle et l'efficience (mieux et moins cher) devient comme mécaniquement au rendez-vous. Les personnes, considérées individuellement, se dépassent collectivement. Le chef n'a même plus besoin de commander. La « boutique » tourne toute seule. La motivation est son carburant et les résultats entretiennent le succès. Le cercle vertueux des objectifs atteints et de la dynamique positive s'installe durablement. Cette prévenance est la plus belle marque d'amitié qui puisse être.

Le vrai chef dirige, sans pratiquement commander. Il donne aux personnes concernées une vision d'ensemble claire et compréhensible, leur expose l'objectif global, l'œuvre commune à entreprendre. Il leur fait partager les raisons de son choix et leur montre les problèmes à résoudre. Puis, il laisse définir par les intéressés la façon de s'y prendre, chacun à son niveau, conjointement avec ses collègues, dans le respect des objectifs et des valeurs de l'organisation. Chacun s'investit totalement et est fier de contribuer à l'œuvre commune par ses idées, ses connaissances, sa compétence.

En cas de difficultés ou d'imprévus, toutes et tous, soudés par l'objectif, font preuve d'ingéniosité et d'initiative pour surmonter les obstacles. Il en est de même pour compenser une insuffisance de quiconque dans la chaîne de travail. La subsidiarité et la délégation font le reste. Elles autorisent une grande réactivité et évitent que tout remonte au sommet, en-gluant d'autant les agendas des responsables.

Or, le système étouffe bien souvent l'initiative et l'engagement. Si l'on ne fait pas d'abord évoluer les mentalités, pour que les comportements et les atti-tudes de chacun changent, on ne règle pas les dys-fonctionnements existants ou à venir. Je l'ai observé en 2008, au cours de la Revue générale des politiques publiques (RGPP), destinée à rendre la fonction pu-blique plus efficiente et moins dépensière. L'armée a été en première ligne. Elle a supprimé 45 000 postes en six ans. Elle a ouvert 40 chantiers de réorgani-sation, créé 240 groupes de travail, réorganisé les procédures dans la quasi-totalité des domaines. Les mots-clés étaient « rationalisation » et « gains de productivité », au travers de nouvelles procédures. L'organisation de la logistique et du soutien a été profondément modifiée, et on mesure aujourd'hui un certain nombre de dysfonctionnements et d'insatis-faction dans la vie quotidienne qui en découlent. On ne rétablit pas un climat social par des processus et des procédures projetés sur un écran !

La dimension humaine, c'est aussi avoir un certain recul sur soi-même. Je crois par exemple que l'hu-mour est une plus-value pour le chef. C'est même pour moi une qualité indispensable, lorsqu'il n'est pas de la dérision systématique, car il fait partie des défenses immunitaires contre la bêtise, l'arrivisme ou la prétention. L'humour donne en plus une certaine distance par rapport aux événements de la vie quotidienne. Il peut être vif, mais jamais blessant. Il est une excellente thérapie contre l'orgueil, qui est une des maladies les plus dangereuses pour tout homme ou femme. La vraie grandeur est dans la simplicité et la modestie.

Le rôle social de l'officier, du dirigeant, du chef

Habité par ces convictions, je n'ai jamais cessé de relire les écrits du maréchal Lyautey, pour qui « l'officier est l'éducateur de la nation ». Son livre prophétique – *Le Rôle social de l'officier* – peut être particulièrement adapté à l'époque actuelle pour tout dirigeant, y compris dans le monde civil. Mes activités actuelles de conseil en stratégie pour la transformation des entreprises me le confirment chaque jour. Je vous le conseille. Lyautey était visionnaire.

« En vérité, le maréchal Lyautey n'a pas fini de servir la France. » Cette phrase, qui clôturait l'allocution du général de Gaulle pour l'accueil de ses cendres aux Invalides, le 10 mai 1961, me semble particulièrement actuelle. J'ai passé une journée à Thorey-Lyautey au printemps dernier, aux côtés du président de la Fondation Lyautey, si dévoué et disponible, le colonel Geoffroy, et j'en ai mesuré la pertinence.

Restaurer l'ascenseur social

Aujourd'hui encore, dans les armées, on peut commencer simple soldat, marin ou aviateur et terminer général ou amiral. C'est une des caractéristiques de notre institution militaire, qui a conservé son ascenseur social en parfait état de marche. Plus de la moitié des sous-officiers ou officiers mariniers est d'origine semi-directe, c'est-à-dire issue du rang. Cette capacité à progresser en fonction du volontariat et de ses mérites procure une grande vitalité et une envie de se dépasser. Elle invite à rechercher en permanence des responsabilités et à se former au quotidien pour s'améliorer. Tout est possible.

En comparaison, dans la fonction publique ou même parfois dans le privé, trop souvent, l'histoire est écrite d'avance. Quoi que l'on fasse, le parcours sera inchangé et la rémunération identique. Le découragement l'emporte et le fatalisme s'installe. « Pourquoi travailler plus et mieux, puisque mes mérites ne seront pas mieux reconnus et que je ne serai pas payé plus cher ? » Et quand on explique que cette situation doit changer, évidemment, c'est « *non possumus* ». Trop complexe et on n'a pas le budget. On ne tire pas vers le haut ; on nivelle par le bas.

Les essais pour récompenser les meilleurs dans la fonction publique ont souvent buté sur un égalitarisme forcené, qui veut que tout soit droit, avant d'être devoir. Les droits de l'homme ont bon dos et sont brandis à toutes les sauces. Tout désir devient une sorte de droit : l'envie de casser une vitrine conduit immédiatement à en prendre le droit ; le souhait de ne pas travailler fait obtenir un arrêt de travail ; l'envie d'une nouvelle voiture entraîne un énième emprunt. À certains égards, le désir pourrait à lui seul remplacer la loi et éclipser les devoirs.

Il y a un sentiment croissant d'injustice chez nos concitoyens entre la contrainte forte qu'ils subissent, par exemple dans des contrôles routiers sans tolérance (surtout depuis la mesure de limitation de vitesse à 80km/h), et une certaine impunité dont jouissent d'autres personnes, pourtant largement coupables de violences, comme ce fut le cas avec les 1 300 Black Blocs en mai dernier à Paris. La justice sociale est une condition essentielle pour revitaliser l'ascension sociale.

À titre d'exemple, la prime « nouvelle bonification indiciaire » (NBI), créée dans les années 1990 dans la fonction publique, a été dénaturée progressivement. Initialement conçue pour valoriser les postes à responsabilité, elle a été diluée dans une répartition de plus en plus généreuse et égalitariste pour ne vexer personne, dans laquelle de plus en plus de postes ont été éligibles, à volume financier constant évidemment, réduisant d'autant l'impact sur les bénéficiaires initiaux.

Donner les mêmes atouts à toutes et tous au départ est un objectif indispensable ; mais, ensuite, il faut absolument récompenser ceux qui s'en donnent les moyens, à moins de courir à l'injustice. Comment justifier d'aider autant ceux qui ne font rien ou le minimum, quand tant de jeunes cherchent à s'élever par l'effort. L'ascension sociale est à ce prix et je me réjouis de voir que de plus en plus de responsables militaires issus de milieux peu favorisés parviennent aux postes de responsabilités dans nos armées, contrairement au faux procès que l'on fait parfois à notre belle institution républicaine intégratrice.

L'art du bon dirigeant est précisément de discerner les talents de chacun, pour les faire grandir en confiance pour le plus grand bien de la communauté, pour le bien commun.

Le maréchal Lyautey dira à Robert Garric, auteur du « message de Lyautey » et fondateur des équipes sociales : « L'action sociale, c'est la vérité, la route, la seule route. »

Former nos élites à s'occuper des autres

Dans une lettre-préface au rôle social de l'ingénieur, écrite par Georges Lamirand, Lyautey lui écrit : « Votre dernier paragraphe a comme titre "Aux sceptiques". Nous n'en sommes ni vous ni moi. Laissons-les sourire et ironiser, et, plus que jamais, gardons notre foi dans l'efficacité de l'action sociale, du rôle social, conçus et pratiqués comme une vocation, et, pourquoi ne pas dire le mot, comme un apostolat. »

J'ai eu la chance et l'honneur de côtoyer certaines des plus grandes intelligences civiles de notre pays, notamment lors de la deuxième partie de mon parcours militaire. Il me semble que les grandes écoles de formation françaises ne mettent pas toujours en premier le souci des autres. On peut le comprendre d'une certaine manière, mais, en réalité, je pense que c'est une erreur. La vraie valeur ajoutée est chez les autres et savoir les écouter, les valoriser, est fondamental. Cela fait d'ailleurs la fortune de nombreux cabinets conseil, de coaching ou de leadership, qui viennent expliquer aux cadres de groupes ou entreprises comment conduire un entretien de progrès, comment animer une réunion ou encore résoudre un conflit humain.

Lyautey avait raison. Il rappelait aux privilégiés de l'intelligence, de l'éducation, de la fortune, que leurs premiers devoirs étaient envers les humbles et les déshérités. Il leur demandait de communier dans « la religion de la souffrance humaine ». Le mal l'emporte souvent par l'inaction de ceux qui devraient être des hommes de bien.

Quand on voit le parcours après le baccalauréat et la masse de travail à fournir pour intégrer nos grandes écoles, on imagine difficilement comment nos jeunes peuvent consacrer du temps aux autres. Le système les incite à s'autocentrer pour réussir. Ils développent ainsi inconsciemment et involontairement un égocentrisme, qui nécessairement se transforme en égoïsme, si l'on n'y prend garde. Ainsi, sont nées, depuis quelque temps, les années de césure apparues pour couper avant la vie professionnelle ou entre deux orientations. Pendant ces quelques mois, nombre de jeunes généreux vont donner de leur temps dans des associations caritatives ; d'autres, plus curieux, vont à l'étranger pour découvrir d'autres cultures et varier leurs expériences. Ceci montre bien qu'ils ont un besoin d'oxygène tout à fait légitime, que le système actuel ne leur donne pas toujours. Il faut poursuivre dans ce sens et décentrer nos futurs jeunes responsables de leurs propres et légitimes ambitions.

Au moment où le jeune futur chef passe à l'âge adulte, dans la tranche 18-24 ans, il ne fait que travailler. Il développe son intelligence et ses compétences. Il cultive son savoir. Il néglige son savoir-être et parfois son savoir-faire. « Il faut penser en homme d'action et agir en homme de pensée. » Voilà pourquoi nous devons éduquer les décideurs – avant qu'ils ne soient en situation –, en développant leur humanité.

Bien sûr, le système autorise heureusement les exceptions, mais je trouve qu'il mériterait d'être infléchi grandement. L'introduction de la formation en alternance est une excellente réponse qu'il convient de continuer à développer. L'intelligence ne fait pas tout, même si elle permet des parcours brillants. Jacques Attali dans une tribune intitulée « La société tétraplégique » disait au printemps dernier : « Si l'on veut éviter des sombres lendemains, il faudra recruter à des postes de responsabilité des gens n'ayant pas fait des grandes études ou n'étant pas des membres de la nomenclature : là se trouveront sans doute les consciences les plus claires et les plus courageuses, qui oseront penser l'avenir. » Les jeunes, que je rencontre plusieurs fois par semaine dans mes activités, veulent donner du sens à leur vie. Il faut leur parler au cœur, aux tripes, aux convictions, pas seulement à l'intelligence. Il faut leur apprendre à passer d'un hédonisme individualiste et éphémère à une sobriété solidaire et heureuse.

« Allumer le feu sacré chez nos jeunes »

« Aux officiers qu'on appelle dans l'armée, qu'il soit demandé, avant tout, d'être des convaincus et des persuasifs, osons dire le mot des apôtres doués au plus haut point de la faculté d'allumer "le feu sacré" dans les jeunes âmes : ces âmes de vingt ans prêtes pour les impressions profondes, qu'une étincelle peut enflammer pour la vie, mais qu'aussi le scepticisme des premiers chefs rencontrés peut refroidir pour jamais. »

Cette phrase tirée du *Rôle social de l'officier* pourrait être écrite aujourd'hui pour l'ensemble des dirigeants vis-à-vis de tous leurs équipiers. Depuis de nombreux mois maintenant, lors de chacune de mes conférences aux jeunes, où qu'ils soient, étudiants ou jeunes professionnels, je note une réelle soif de se donner à une grande cause, de chercher de la sincérité, de la vérité, de la franchise, loin de la comédie humaine, des paillettes ou des faux-semblants. Ils saturent des raisonnements et leur préfèrent de la passion, du supplément d'âme, de la générosité, de la gratuité. Par-delà l'intelligence, ils désirent surtout plus de cœur, moins de sécheresse et plus d'enthousiasme.

Certains responsables de leur encadrement l'ont compris. J'ai vu des patrons attentifs, hommes d'entreprise, capitaines d'industrie, épris de cette dimension humaine et qui regardent devant eux pour éclairer la route, mais aussi derrière eux pour voir si cela suit. J'en ai vu aussi beaucoup, notamment surdiplômés, ce qui me gêne quelque peu, qui sont à mille lieues de se soucier de l'adhésion de leurs subordonnés à leur discours, à leurs consignes, à la direction souhaitée, quand d'ailleurs il y en a une. Certains oscillent entre l'indifférence courtoise, l'ignorance choisie ou la maladresse subie. Et pourtant, quand on le veut bien, on peut emmener hommes et femmes au bout du monde, si on aime les autres et qu'ils le sentent. « Amour et vérité se rencontrent ; justice et paix s'embrassent. »

« Une troupe bien en main moins instruite vaut mieux qu'une troupe plus instruite, moins en main », disait Lyautey. Le chef doit gagner l'estime des cœurs par « une autorité bienfaisante, juste et respectable ». Son regard, sa parole, son cœur doivent dès le premier jour de la rencontre avec les équipiers trouver le chemin de leurs yeux, de leurs oreilles, de leur cœur. La productivité passe par la fidélisation des clients, mais aussi et peut-être d'abord par la motivation de ceux qui produisent. « Mieux vaut cent moutons menés par un lion que cent lions menés par un mouton. »

Je faisais souvent à mes subordonnés une recommandation – et c'est peut-être la plus importante – : conserver intact l'enthousiasme de leur jeunesse, qui « est d'abord un état d'esprit ». Je dis cela pour les plus expérimentés ! Être enthousiaste, c'est-à-dire croire en l'avenir. Être des passionnés et non des résignés. « Malheur aux tièdes, qu'ils rentrent au sein de leurs familles ! », disait le Prince de Ligne.

Garder entier l'enthousiasme de la jeunesse, car rien de grand ne se fait sans cette force de caractère. Elle est le signe des grands chefs. Parce que, au fond, être un chef, c'est créer la dynamique, dont le moteur est l'adhésion des subordonnés. Qui aurait envie de suivre un chef qui ne serait pas animé d'une flamme intérieure ? « Si vous n'avez pas la foi en ce que vous entreprenez, si vous ne rayonnez pas, alors vous n'entraînerez pas. Un chef triste est un triste chef », ai-je dit souvent aux sous-lieutenants que j'ai eu l'honneur de former à Saumur.

Servir son dirigeant avec fierté, avec désintéressement, là où n'importe quel autre aurait fait valoir ses droits individuels. Voilà le fruit d'un leadership bien senti par les équipes.

Au moment où notre société est traversée par une crise de sens, de confiance ; où notre pays est confronté à des menaces graves, le rôle du dirigeant, qu'il soit seul ou en équipe, où qu'il soit, prend une importance croissante. Beaucoup raisonnent, analysent, commentent ou théorisent les crises… Lui doit les gérer et décider. Il doit réconcilier la recherche de la performance et le respect des personnes pour un mieux-vivre ensemble.

Chapitre 4

Le chef ne discute pas son époque, il l'épouse

« Les temps changent... », mais la déploration reste la même, depuis toujours. Force est d'admettre que le changement s'accélère aujourd'hui : la digitalisation de notre société à certains égards éjecte par anticipation tous ceux qui ne se sentent pas capables de suivre. Tous ceux qui travaillent aujourd'hui, où qu'ils soient et quoi qu'ils fassent, doivent non seulement faire avec, mais surtout ne pas subir cette évolution inéluctable.

La société se digitalise

Depuis quelques années, notre vie a changé. On commande son café, son billet de train, son livre ou ses courses sur des écrans tactiles ; on paie ses impôts par Internet. Tout va plus vite et malheur à ceux et celles qui ne suivent pas le rythme. Ils sont considérés avec une certaine commisération, ces créatures de « l'ancien monde », victimes d'une forme de « e-exclusion ». Le numérique est en route, il écrase tout sur son passage. La transformation des organisations est un état de fait, mais c'est surtout un état d'esprit. Le chef doit s'adapter à cette nouvelle donne, la conduire et innover.

Tout est plus facile pour ceux qui montent dans le train. Tout est plus compliqué pour les autres. Le mouvement est permanent, incessant. Ceux qui s'en tirent sont ceux qui sont en mouvement. Dans les entreprises, tout est concerné : les produits, l'infrastructure, la relation clients-fournisseurs sans contact direct, le calcul des coûts, l'organisation et les méthodes de travail.

Maîtrisée, la digitalisation est une opportunité incontestable de progrès. Jongler entre son iPhone, son ordinateur portable, ses différents appareils électroniques devient une nécessité facilitant la vie courante. On se réveille grâce à son mobile, on organise sa journée sur l'agenda électronique. On lit la presse, de moins en moins sur papier, de plus en plus sur le Net. On reçoit même depuis l'année dernière sa proposition d'affectation « Parcoursup » sur son téléphone. Les moindres secondes encore libres sont utilisées par et pour nos écrans. Finis les rêveries passagères et les ennuis féconds. On tapote sur un clavier dans l'illusion de rentabiliser chaque instant.

L'homme intervient de moins en moins dans la boucle, même pour rendre la monnaie quand on achète une baguette à la boulangerie. Les paiements sont automatiques, sans source d'erreurs. Au pire, le paquet commandé en ligne doit être retiré à la poste par absence du destinataire. D'ailleurs, à la poste, tout se fait automatiquement ; le nombre de guichets diminue de jour en jour. Facilité, rapidité, efficacité, fiabilité : le numérique est devenu l'alpha et l'oméga de notre société. Le courrier électronique n'a plus besoin d'enveloppes. Nous sommes appelés à vivre en interaction permanente avec des robots, plus ou moins pimentés d'intelligence artificielle. Ils sont déjà indispensables pour prendre un café à la machine.

Avec les armées, j'ai vécu ce changement profond d'environnement, qui conditionne l'état d'esprit de notre jeunesse, organise notre vie quotidienne et bouleverse les technologies au combat. Sur ce plan, je constate une parité totale de préoccupations entre les armées et le monde de l'entreprise ; la digitalisation vient perturber les hiérarchies traditionnelles, par un flux d'informations continu, qui nivelle les organisations. Elle met l'entreprise en danger, si cette dernière ne veut pas s'y adapter en permanence. Il faut conserver un socle de stabilité, tout en s'organisant autrement et en développant la capacité d'innovation. L'information circule si vite qu'elle accroît le tempo de l'entreprise et du marché et nécessite toutes les initiatives pour être traitée. Ce que l'on faisait avec une organisation bien huilée en plusieurs jours se fait désormais en direct. Pas le temps de rendre compte à son N+1, qui n'a d'autre choix que de faire confiance et de déléguer. Cela exige une parfaite maîtrise de la messagerie. Combien de fois ai-je dû, quand j'étais major général, rappeler à mes subordonnés directs qu'il est interdit de mettre en copie quelqu'un simplement pour se couvrir ? La messagerie doit renforcer la responsabilisation de chacun et ne pas se transformer en gigantesque parapluie.

Comment faire face à ces tsunamis de mails souvent inutiles, alors qu'on est toujours autant submergé de papier ? Des règles de savoir-vivre et d'efficacité s'imposent. J'avais établi une charte de bonnes pratiques à ce propos quand je voyais mes équipes sur-occupées à « traiter » des mails totalement inutiles qui les détournaient de leurs missions. Parmi ces principes, j'avais interdit qu'on envoie un mail à quelqu'un dont le bureau se trouve à quelques mètres de soi. J'avais également demandé qu'on ne m'envoie que des messages qui constituaient une vraie plus-value pour mon information. C'est un combat quotidien qu'il ne faut pas hésiter à mener. Il y va de l'efficacité d'une organisation.

Les entreprises et les dirigeants qui ne voient pas cela venir et ne le devancent pas se condamnent à l'entropie, soit une forme de dégénérescence de la structure par elle-même. Le monde numérique est sans pitié pour ceux qui ne voient pas plus loin que le quotidien et qui risquent d'être débordés par la puissance de la marée technologique. « Souple, félin, manœuvrier » était la devise de mon escadron d'éclairage en 1985. Nous étions précurseurs de la société digitale… sans le savoir !

Nos politiques des ressources humaines doivent s'adapter ; les paquebots se transformer en patrouilleurs rapides pour faire face aux besoins évolutifs et à l'accélération des changements. Les *digital natives* sont avantagés et les autres rament dans une galère qui a du mal à suivre les vedettes aux puissants moteurs. Nombreuses sont les personnes qui restent sur le bord de la plage digitale. Elles veulent garder la main, alors qu'on leur demande juste le bout du doigt pour toucher l'écran. Depuis bien longtemps déjà, le progrès technique a dévalorisé l'expérience qui donnait traditionnellement l'autorité aux anciens. Avec l'âge vient la suspicion d'en être resté aux techniques obsolètes, aux savoir-faire dépassés, aux comportements surannés. Le numérique nous a fait sauter une génération dans cette déclassification.

Ces changements deviennent violents lorsqu'ils sont effectués sous la contrainte, qu'ils mettent en jeu la survie du groupe, de l'entreprise, de la start-up. Les *business models* s'adaptent ; les plans stratégiques se font et se défont. Pourvu que la messagerie instantanée du quotidien n'étouffe pas la vision stratégique du long terme, qui, elle-même, doit tenir compte de l'accélération des nouveautés numériques.

L'individualisme se renforce

En outre, cette société digitale pousse certains à l'individualisme forcené. Le collègue devient l'écran tactile et n'est plus le voisin d'atelier ou de bureau. J'ai moi-même observé cette évolution dans l'armée.

J'ai vu le changement entre ma mission au Kosovo, en 1999, où Internet n'était pas encore communément répandu, et l'Afghanistan en 2006, où chacun était équipé d'un téléphone portable et où les réseaux sociaux commençaient à se développer. Une liaison satellite quasi permanente était indispensable pour permettre aux soldats de rester en contact avec leurs proches à l'arrière. Bien sûr, c'est un atout pour le moral de savoir qu'on peut joindre à tout moment sa famille. Mais cela peut devenir contre-productif pour la cohésion lorsque la relation humaine est remplacée par la relation digitale. Au retour d'une opération, après que l'on a réintégré les munitions, il y a quinze ans, tous se retrouvaient autour d'une table, une bière à la main, à discuter. Aujourd'hui, chacun est tenté de lire ses messages, regarder un film, rivé à un écran, seul face à l'image, dans le virtuel et non dans le réel. Le numérique renforce l'individualisme et plus les moyens de communication se développent, plus l'homme se recentre sur lui-même. Le chef d'aujourd'hui doit veiller à maintenir la cohésion et l'ouverture aux autres, sources de la véritable efficacité.

La machine s'emballe et parfois le dirigeant ne dirige plus. C'est la masse des informations en circulation qui commande. Combien de fois ai-je assisté à ces scènes surréalistes de hauts responsables les pouces collés sur leur mobile en pleine réunion, au cours desquelles des décisions fondamentales étaient en train de se prendre. Sans parler d'ailleurs des problèmes de sécurité que cela pose. Certains croyaient se cacher, en posant discrètement l'iPhone sur leurs genoux, persuadés, comme des enfants, que cela les empêchait d'être vus ! Napoléon faisait plusieurs choses à la fois. Malheureusement tout le monde n'est pas Napoléon.

Désormais, en opération, il est possible de faire des points de situation par liaison satellite et je dois avouer que cela est bien pratique. Cela évite des heures de transport et génère des économies financières substantielles pour les organisations. Je pratiquais moi-même cette technique en France ou à l'étranger, y compris en opérations extérieures. Les réunions des commandants de région en Afghanistan étaient souvent en vidéo. Pourquoi se priver d'une telle plus-value ? Mais cela ne doit pas supprimer totalement les réunions au poste de commandement, au cours desquelles les échanges directs apportent des réponses bien plus complètes et convaincantes que par un écran interposé.

La robotisation : une révolution sociétale

Les enjeux liés à la transformation numérique sont souvent perçus de manière trop restrictive. En réalité, on ne peut pas séparer l'arrivée du *Big Data,* les robots numériques et la digitalisation plus classique qui consiste à communiquer de manière simple et instantanée, en réseau si souhaité. Les bons chefs sont ceux qui en prennent conscience et maîtrisent le phénomène, sans le subir.

Jean Staune, ce grand philosophe des sciences, a écrit récemment un remarquable ouvrage, *Les Clefs du futur*, dans lequel il explique les conséquences prodigieuses de la « révolution fulgurante » de l'ère de l'Internet en matière de stockage, traitement et transmission. Les géants du Web, les GAFA (Google, Apple, Facebook, Amazon), ont une puissance de frappe largement supérieure à bon nombre d'États.

Avec la robotisation généralisée, nous entrons dans un autre monde. Les objets parleront aux objets. Ce qui était fabriqué par plusieurs centaines de personnes il y a encore dix ans, le devient par moins de dix, qui sont sur place essentiellement pour surveiller des machines robotisées. On produit plus vite, moins cher, avec une masse salariale qui diminue. Il reste à inventer les nouveaux métiers adaptés à cette situation. Il reste aussi à trouver un équilibre entre les bienfaits incontestables de cette robotique, que nous devons apprécier à sa juste valeur, et les effets pervers pour l'humanité, qu'il ne faut ni masquer ni sous-estimer.

Cela nous amène progressivement à un paradoxe qui s'impose : le chômage pourrait augmenter en même temps que la croissance. Depuis Jeremy Rifkin qui lança en 1995 son ouvrage à succès, *La Fin du travail*, on ne compte plus les études sur les menaces que la numérisation de l'économie fait peser sur le travail. Nul n'ignore que bien des métiers de l'avenir n'existent pas aujourd'hui. Le pourcentage varie selon les études, le quart, la moitié, peu importe. Le fait même n'est pas contesté. Ce changement qualitatif s'accompagnera d'un changement quantitatif et, pour beaucoup de prospectivistes, les emplois nouveaux risquent d'être beaucoup moins nombreux que les emplois anciens. Le progrès qui, tout au long de la révolution industrielle, a miraculeusement créé plus d'emplois qu'il n'en détruisait aurait maintenant l'effet inverse et nous condamnerait à inventer, au choix, une société de chômage permanent ou bien à déconnecter le revenu du travail. Ainsi, l'homme finirait par s'exclure du monde robotisé qu'il invente pour le plus grand bien de la finance internationale et de certains tableaux de chiffres. Bien sûr, la complexité économique et financière est grande. Il n'empêche que le risque est bien réel et le nier procède d'une coupable myopie. Les conséquences de la révolution technologique en cours seront pour le moins comparables à celles de la révolution industrielle de la fin du XIXe siècle. Trop de dirigeants encore l'ignorent par négligence, peur, frilosité, conservatisme.

L'intelligence artificielle : au-delà du possible

Laurent Alexandre dans *La Guerre des intelligences* va plus loin en abordant le sujet de l'intelligence artificielle pour remplacer le cerveau humain et projeter nos esprits dans des corps robots. Dans notre société quelque peu aseptisée, qui rejette la mort, c'est, pour certains, enfin la perspective d'une victoire sur la mort. Les « technobéats » ne réfléchissent pas à cette fuite en avant, où l'homme là encore construit sa propre disparition s'il ne fixe pas les limites de cette intelligence artificielle. C'est le rêve du transhumanisme. Ceux qui s'hybrideront avec l'IA, même si la réglementation le leur interdit, deviendront plus intelligents et obtiendront le pouvoir. La mort de la mort, l'augmentation des capacités humaines, la suppression du risque et la colonisation du cosmos sont les objectifs de l'Homme-Dieu transhumaniste. « Demain, la déconnexion entre plaisir, sexe, amour et reproduction sera totale », explique Laurent Alexandre. Il y aura plus de robots, d'IA et d'objets connectés que d'êtres humains en 2040. Ne vaut-il pas mieux revenir à l'homme qui invente l'outil et la machine, mais en reste le maître et n'en devient jamais l'esclave ?

Au passage, on voit là encore la différence entre l'exercice des responsabilités et celui du pouvoir. La responsabilité de l'homme est de fixer les limites humainement acceptables pour bénéficier de tous ces progrès techniques incontestables de l'IA, tout en en conservant un bon usage, au service de l'humanité. Si ce n'est pas le cas, n'en doutons pas, cela se terminera en cauchemar. Comme l'écrit Rémi Brague, l'enjeu du XXIe siècle n'est plus celui du bien comme au XIXe, ni celui du vrai comme au XXe, mais celui de l'Être. Il y va de l'avenir de l'Homme.

Si l'on considère la fonction logistique liée aux transports, il est clair que l'automatisation des camions fera que l'on constituera des rames automatiques de véhicules, comme l'est déjà depuis plusieurs années la ligne 14 Saint-Lazare-Olympiades à Paris. Cela existe en expérimentation aux États-Unis. Ce sera un profond changement. À nous de veiller qu'il soit bon. Que les camions autonomes ne finissent pas par créer leurs propres règles de circulation au détriment de toute aménité dans la vie urbaine.

Il en sera de même pour la santé, avec une succession de robots qui révolutionneront la vie des hôpitaux. Accessibilité en ligne de l'ensemble des données médicales, dématérialisation des prescriptions, simplification du partage de l'information entre les

professionnels de santé sont des mesures déjà annon-
cées par le gouvernement français. Dès aujourd'hui,
les mutuelles de santé proposent des services de
e-santé, qui comprennent la téléconsultation médi-
cale, le coaching « bien-être » par Internet, mais aussi
des applications de géolocalisation ou de notation des
prestations des professionnels de santé.

Dans l'e-commerce, « Alexa » est un logiciel capable d'interaction vocale, de lire de la musique,
faire des listes de tâches, régler des alarmes, lire des
podcasts et des livres-audio, et donner la météo, le
trafic et d'autres informations en temps réel. C'est
un gain de temps énorme et une vraie facilité dans
la vie quotidienne. Mais, une fois de plus, je crains
que les nouveaux services automatisés ne réduisent
les capacités des utilisateurs à mesure qu'ils se per-
fectionnent. À quoi bon garder en mémoire ce qui
nous est restitué à la demande sur un simple clic ?
À quoi bon se repérer dans l'environnement, savoir
lire un plan ou une carte, si la voiture nous guide ?
À quoi bon s'exercer au calcul mental, alors que les
calculatrices sont si rapides ? Ainsi l'*Homo faber*,
après avoir augmenté ses capacités propres par la
machine, les verra au contraire diminuer, roi fainéant
vivant entouré de prothèses qui créent elles-mêmes
les handicaps qu'elles prétendent compenser. Oui, il
nous faudra maîtriser ce prodigieux arsenal, afin que

l'homme ne se transforme pas lui-même en esclave de ses appareils.

Dans *L'Empire des données*, Adrien Basdevant et Jean-Pierre Mignard expliquent que « plus de data ont été récoltées cette année que depuis le début de l'histoire de l'humanité. Cette nouvelle matière première nourrit quantité d'algorithmes qui déterminent les conditions d'accès à un crédit ou à un emploi, prévoient le décrochage scolaire, détectent les profils à risque terroriste, et repèrent les prédispositions à certaines pathologies... Les data ne sont qu'un outil, à l'homme de décider de leur rôle ».

Il faut se réjouir de la puissance grandissante des outils qui permettent d'aider l'humanité en prévoyant les catastrophes, en guérissant les maladies ou en facilitant la vie quotidienne. La puissance numérique peut soulager des souffrances et accroître nos libertés. Vivre dans le rétroviseur peut être utile pour tirer les leçons du passé, mais cela n'a jamais constitué un projet efficace pour l'avenir.

Mais cette intelligence artificielle pourrait aussi, si l'on n'y prend pas garde, produire un monde sans aucun secret, ce qui serait le début de l'enfer. Abolir l'imprévu ne me semble pas être le chemin du bonheur. Maintenir notre créativité est un devoir, à moins de capituler devant les puissances de calcul.

S'il y a bien une chose que j'ai apprise en quarante-trois ans dans l'armée, c'est que le chef dans l'exercice de ses responsabilités doit rester lui-même et ne pas s'en remettre totalement à des équipements, fussent-ils performants. À l'été 2014, les Irakiens disposaient d'une armée de 250 000 hommes, équipée pour l'essentiel de matériel américain de pointe, ce qui ne les a pas empêchés de se faire « ratiboiser » par 30 000 terroristes islamistes radicaux, décidés à aller jusqu'au bout de leur conquête... On ne gagne pas une guerre par les seuls équipements, mais aussi par la cohésion des soldats. Le chef doit en être conscient. La technique est une aide, pas une finalité, certainement pas un paravent commode pour décider à sa place.

La guerre cyber est partout

La guerre cyber n'est pas pour demain : elle est déjà là aujourd'hui. Internet est un terrain d'affrontement gigantesque. Là encore, les dirigeants se trouvent dans une situation de grande vulnérabilité et de pression constante, car personne n'est épargné par cette menace : entreprises, collectivités locales et territoriales, ministères, administrations, etc. L'arme numérique est devenue une arme comme les autres.

À tout moment, une attaque informatique peut fragiliser durablement l'entité victime, parfois sans que cette dernière s'en rende immédiatement compte. Les pirates informatiques sont nombreux et leurs outils se sont démocratisés. Ils travaillent pour les États-puissances (pour l'essentiel des anciens empires qui cherchent à retrouver leur influence passée), le terrorisme islamiste radical, le grand banditisme, les trafiquants de tous types. Pour se prémunir d'une telle attaque, il faut instaurer un dispositif suffisamment robuste et faire appliquer les mesures élémentaires de protection préventive. La plupart des pirates s'introduisent dans les réseaux par exemple à travers un simple mail sur lequel on a cliqué par mégarde, ceux jouant sur l'ego du destinataire rencontrent le plus de « succès », par exemple les messages annonçant la création ou la mise à jour d'une page Wikipédia… Certains experts prétendent que la cybersécurité dans les entreprises repose sur la technologie pour 20 % seulement et le management pour les 80 % restant. Beaucoup de nos vulnérabilités se situent entre la chaise et l'écran.

Cela ne simplifie pas le fonctionnement des organisations. Ce n'est pas pour rien que le ministère des Armées a créé, en 2017, un commandement de la cyberdéfense, disposant de trois mille « cyber-combattants ». En 2007, l'Estonie a vu ses systèmes informatiques paralysés pendant plusieurs semaines. En Iran, en 2010, une centrifugeuse nucléaire a été neutralisée. Récemment, le gouvernement fédéral allemand a avoué publiquement en février 2018 avoir été piraté pendant plus d'un an sur un de ses réseaux extrêmement sécurisés, reliant la chancellerie, les ministères, les deux chambres du Parlement et d'autres institutions.

La *Revue stratégique de cyberdéfense*, dirigée par le secrétariat général de la défense et de la sécurité nationale et parue en février 2018, dresse un état des lieux édifiant. Espionnage ou sabotage informatique, actions de propagande ou de déstabilisation par des *fake news* sont autant de pratiques courantes. Rien n'est plus facile que d'attaquer un bâtiment interconnecté (informatique, énergie, eau, déchets, etc.). Trois étapes jalonnent ces opérations. La compromission d'abord : les attaquants envoient des courriels avec des pièces jointes piégées. La latéralisation ensuite : les attaquants compromettent un ou plusieurs éléments du réseau informatique, afin d'accéder par exemple aux serveurs centraux. La destruction enfin : les attaquants utilisent un module de sabotage rendant inopérants les ordinateurs de contrôle des infrastructures et neutralisant à distance l'électricité et le reste.

Le durcissement des systèmes informatiques est une nécessité partout, dans les services de l'État, mais aussi dans les entreprises privées. La technologie, qui facilitait les échanges, est devenue une nouvelle source de préoccupation. Preuve s'il en est que l'Homme restera un loup pour l'Homme, quels que soient les progrès techniques. Les mesures de détection, le durcissement des communications sécurisées, la protection des infrastructures critiques, la possibilité de bénéficier en permanence de plan B en cas d'attaques sont des questions importantes pour tout responsable aujourd'hui.

Là encore, jusqu'où aller dans les progrès techniques ? La perspective de la mise en place de villes et de territoires intelligents dans lesquels se superposeront et s'interconnecteront les grilles énergétiques, de communications électroniques, de transport, de gestion de l'eau et des déchets, accroîtra sensiblement les possibilités offertes aux attaquants. Ce qui fait dire à Laurent Mignon, directeur général de Natixis, que « le seul risque systémique pour le secteur bancaire, c'est le risque cyber ».

Ne pas perdre la main

Le premier droit de l'Homme est un devoir, celui de respecter l'Homme. La technologie est une avancée. Le « technologisme », comme toutes les idéologies, peut être un danger. Les progrès techniques, technologiques, améliorent les performances, et on ne fera plus machine arrière. Mais cela ne doit pas se faire à n'importe quel prix : celui d'accepter le risque de l'asservissement de l'humanité à la cause du progrès, celui de la rupture anthropologique. Le progrès technique n'est pas une fin en soi, mais un moyen pour procurer à l'Homme plus de bonheur. Sylvain Tesson en vient à considérer qu'« augmenter les capacités de l'Homme en le dotant d'un appareillage biotechnique, c'est le diminuer. Plus exactement, c'est augmenter ses fonctions par une diminution de sa nature ».

Ne pas perdre la main, c'est aussi renforcer un effort de coopération européenne pour résister à la dépendance américaine et chinoise en matière de recherche et de technologies numériques. Dans la conduite des opérations militaires, j'ai pu vérifier au quotidien, comme chef d'état-major des armées, que la qualité de nos équipements et de notre technologie procurait une forme de supériorité par rapport à nos adversaires, mais le plus important pour gagner

la guerre restera toujours la qualité des hommes, soldats, marins ou aviateurs. Les forces morales prime-
ront toujours sur les progrès techniques. Les deux
font la paire et il ne faut surtout pas les opposer,
mais les unes sont plus importantes que les autres.
Le Big Brother ne doit pas être celui que l'on pense.
La liberté doit rester l'apanage de l'Homme et les
dirigeants ne doivent pas s'y tromper, à moins de
connaître de cruelles désillusions.

Un des aspects les plus terrifiants de ce progrès
technologique sur le plan militaire est la capacité de
transmission de données et de conduite des opérations en direct grâce à nos systèmes d'information
modernes. J'ai pu apprécier, lors de notre bascule du
commandement militaire du boulevard Saint-Germain
à Balard, le bond technologique et les progrès qui en
ont découlé. Mais, dans cette manœuvre, j'ai aussi
pu mesurer concrètement que nous avons réussi à
garder en permanence la main sur ce déménagement,
conduisant les opérations sans interruption, la technique restant aux ordres des chefs militaires et non
l'inverse. En septembre dernier, j'ai eu l'occasion de
visiter les immenses entrepôts d'une grande maison
de cognac : sur huit étages, à perte de vue, s'alignent
des barriques. Tout y est automatisé, des robots se
chargent d'aller chercher la barrique sélectionnée en
fonction de son vieillissement. Elle est rapportée au-

tomatiquement par un chariot, puis chargée dans un camion pour être acheminée vers le client. Lors de ma visite, j'ai suivi la manœuvre sur un chariot et j'ai pu constater que la technologie faisait le travail, mais que, de temps à autre, une intervention humaine était indispensable pour recaler telle ou telle opération. La robotisation ne supprime pas le nécessaire pilotage humain.

L'arrivée des drones a constitué une vraie révolution technologique et tactique il y a une dizaine d'années. Heureusement, les armées ont gardé la main sur l'outil et la responsabilité des opérateurs derrière leur écran est énorme, surtout dès lors que l'on disposera de drones armés, capables de frapper à des centaines de kilomètres. Cette responsabilité est tout aussi importante que celle des pilotes d'avion de chasse dans leur appareil. Le rôle de l'homme s'exerce différemment. La vigilance s'impose. Les États-Unis font le constat d'une augmentation des troubles psychologiques chez les pilotes de drones. Au-delà des drones armés, l'arrivée des drones de combat dans la génération suivante méritera une réflexion au niveau de la communauté internationale pour savoir comment limiter l'emploi de cet armement en lien avec les garanties éthiques élémentaires et le droit des conflits armés. Les canons laser de demain, qui porteront à plusieurs centaines de kilomètres, les drones bourrés d'intelligence artificielle, les petits robots sous-marins seront indispensables pour garantir la supériorité opérationnelle. Pour autant, ils ne supprimeront en rien l'action du soldat, marin ou aviateur. Elle sera différente, mais nécessitera toujours les mêmes qualités morales.

Maintenir les technologies au service de l'homme

On connaît bien aujourd'hui la France des serveurs téléphoniques, où vous devez taper 1, puis 3, puis *, puis 2, pour finir sur une bande enregistrée vous annonçant d'une voix suave que malheureusement « tous nos opérateurs sont actuellement occupés » et qu'« il faut renouveler votre appel ultérieurement ». La confiance n'exclut pas le contrôle, qui doit demeurer une prérogative humaine et donc humainement accessible. L'Homme doit conserver son autorité sur le cours des choses et ne pas la céder aux algorithmes et aux *data centers*. Quel humanisme allons-nous offrir à nos concitoyens ? Quelle sera notre conception anthropologique face à l'Homme augmenté, à l'humanoïde et à toutes leurs déclinaisons ?

L'accélération des progrès techniques est fulgurante, ces trois dernières années notamment. Le premier écueil est d'en avoir peur et de s'accrocher à l'ordre ancien. Rien ne sera plus comme avant et notre monde ne possède pas de marche arrière. La nostalgie doit nous amener à la réflexion, pas à la négation ni à la résignation. La modernité n'attend pas : elle est un mélange harmonieux de digital et de relations humaines. On prend les nouveautés et on en évite les effets pervers.

La science n'est ni bonne ni mauvaise et n'appelle en soi aucun jugement moral. C'est l'emploi qui en est fait qui doit être contrôlé avec attention et discernement. Pour cela, nous devons déployer nos efforts sur la formation, en développant en particulier notre langue, notre culture, notre littérature, nos arts, nos sciences. Il est temps de revenir à la lecture, cette activité qui apaise les soucis, suscite l'imagination, favorise les relations et encourage la réflexion. La lecture, qui requiert silence, solitude et concentration, est probablement devenue un enjeu de civilisation, bien au-delà d'un simple support de communication.

Les nouvelles technologies doivent respecter notre planète et mettre en œuvre une écologie responsable et humaine. Humaine par l'emploi que l'on fera de ces nouvelles techniques ou machines, en respectant l'Homme. Responsable par les dommages éventuels que ces avancées pourraient produire sur l'eau, l'air, la biodiversité, la vie tout simplement. Je l'ai constaté dans les entreprises : la mondialisation, la concurrence effrénée peuvent amener des dirigeants à une productivité qui tombe dans le productivisme outrancier. Le peu d'enthousiasme de certains pays à respecter les engagements internationaux en matière de protection de l'environnement, à commencer par les États-Unis du président Trump, illustre l'ampleur de ce défi.

L'intelligence artificielle, véritable révolution sociétale, peut nous faire gagner de l'argent et de l'énergie, sans déstructurer notre société ni notre emploi. Le *deep learning*, c'est-à-dire l'utilisation d'un algorithme, repose sur l'utilisation de données et permet, par exemple, à Google d'améliorer une traduction, à Facebook de trier les photos pédopornographiques et trouver les malades sexuels, ou encore à Accor-Hotels d'améliorer le taux de remplissage de ses établissements. Mais les limites apparaissent vite, car cette technique ne sait pas raisonner ni improviser. Elle n'a ni fantaisie ni bon sens.

Dans des secteurs critiques comme la santé, la défense ou le transport aérien, il est inenvisageable de s'en remettre à une boîte noire. L'intelligence artificielle doit devenir explicable par l'homme. Pour cela, elle doit être modélisée sur des comportements intelligents et être capable d'interagir avec les humains en temps réel. L'intelligence artificielle devient ainsi vérifiable et qualifiable.

En matière de sécurité, il faut là aussi trouver un équilibre entre la plus-value essentielle de l'apport technologique et la réalité du besoin opérationnel, qui n'exige pas toujours « des Robocops, mais bien plutôt des commandos malins, rustiques, sachant s'adapter à leur terrain, aller chercher l'ennemi, parler avec la population », comme l'a déclaré l'amiral Laurent Isnard, commandant les opérations spéciales. Les guerres d'aujourd'hui n'ont plus grand-chose à voir avec celles d'hier. La menace numérique a créé un champ de bataille 3.0. Les nanotechnologies, les neurosciences et les drones, par exemple, sont aujourd'hui des acteurs du combat.

L'enjeu écologique

Ces mutations nous forcent à répondre à cette question essentielle : quel monde voulons-nous laisser à nos enfants ? Le défi existentiel pour notre monde est écologique. L'inaction internationale sur les dérèglements climatiques, issue essentiellement de l'insuffisante régulation des évolutions technologiques, est inquiétante. Cette question ne concerne pas que les spécialistes, climatologues ou ethnologues, intellectuels ou écologistes. Chacun de nous est impliqué. Chacun se doit de réagir. Là encore, tout homme ou toute femme est responsable de sa propre destinée. En cela, il est son propre chef.

Dans ce domaine, les organisations internationales, au premier rang desquelles, évidemment, l'Union européenne, devront trouver les financements pour cette transition énergétique, surtout pour continuer à encourager les économies d'énergie et le développement des énergies renouvelables. Selon l'Agence de l'environnement et de la maîtrise de l'énergie (Ademe), certains scénarios peuvent amener une création nette de 600 000 emplois, en particulier dans le secteur du bâtiment. Avons-nous un autre choix et aurons-nous le courage de ne plus repousser à plus tard les mesures à prendre, courageuses, car coûteuses ? L'Europe, qui se cherche des raisons d'espérer, voire d'exister, pourrait trouver là une vraie légitimité, une sorte de retour aux sources. Après l'acier et le charbon, il y a urgence à s'occuper de l'eau, de l'air, de notre terre et de ses produits.

Là encore, on ne pourra pas dire aux générations à venir que l'on ne savait pas. Elles nous demanderont légitimement des comptes. L'Homme ne peut pas construire une société de laquelle il s'exclut progressivement. Les chefs, à tous les niveaux et dans tous les domaines, ont le devoir de le rappeler.

Tradition et modernité

En 2006, je commandais la 2e brigade blindée, soit environ 6 000 soldats, répartis en six régiments, chargée d'expérimenter la numérisation du champ de bataille. Autrefois, on commandait cartes en main, en donnant des ordres à un agent de transmission, à la voix, au moyen d'une radio. Aujourd'hui on commande face à des écrans, dans le silence, et à l'instant T, depuis le poste de commandement ; le lien se fait instantanément entre le général commandant la brigade et les équipes sur le terrain, chargées d'exécuter les ordres. Ces équipes sont elles-mêmes reliées à des écrans sur lesquels apparaît la désignation des cibles. Cette mutation offre un avantage incontestable, par exemple, lors d'une contre-attaque de chars : le timing est essentiel pour démarrer les blindés afin qu'ils puissent prendre l'adversaire de flanc et le détruire par surprise. La numérisation offre une vision parfaite de la position des uns et des autres. Mais, comme toute avancée technologique, elle présente aussi un danger : l'absence de dialogue direct. Nous y avons donc réfléchi et nous avons réintroduit au fur et à mesure du processus décisionnel une part de dialogue afin d'assurer la cohésion et de maintenir l'humanité du commandement.

Les dirigeants sont soumis à rude épreuve, car ils doivent à titre personnel épouser cette culture digitale, convaincre les récalcitrants, tirer l'entreprise dans le sens imposé, tout en conservant l'humanité nécessaire. Les bons dirigeants sont ceux qui arrivent à pratiquer la phrase de Jean Yole : « La tradition, c'est le pied mère ; le progrès, c'est le greffon. » L'arbre, en l'occurrence, c'est le monde. Il faut laisser au greffon le temps de prendre sur le pied mère et ne pas oublier de soigner l'arbre, qui, lui aussi, peut mourir d'une mauvaise transplantation.

D'autant que le contexte géostratégique actuel est suffisamment instable pour que la peur s'installe et que le chef ne doive, en plus du reste, être un diffuseur de confiance et un protecteur.

Chapitre 5

Le chef est un absorbeur d'inquiétude et un diffuseur de confiance

Une scène parisienne banale : à l'entrée du parking où je vais chercher ma voiture, deux véhicules militaires sont stationnés, les soldats, armes à la main, se tiennent non loin. Très vite, des passants viennent les voir, inquiets : « Il se passe quelque chose de grave, c'est ça ? Non, répond un soldat, nous sommes simplement en pause ! » La période est anxiogène, en particulier depuis les attentats qui nous ont frappés sur notre sol. Mais surtout depuis que chacun peut suivre en direct ce qui se passe aux quatre coins du monde. Les mauvaises nouvelles font l'actualité, quels que soient les efforts des médias pour, de temps à autre, mettre en avant une belle histoire. Cette pression pèse sur tous, car elle inhibe les opinions et nos concitoyens. Pour l'exercice de toute forme de responsabilité, elle a changé la donne. Elle conduit le chef à être un absorbeur d'inquiétude et un diffuseur de confiance. Son analyse du contexte doit être lucide, objective et équilibrée, ni paralysante pour l'action ni myope dans la réflexion. Toute personne qui veut être responsable se doit d'y réfléchir. Ce n'est pas simplement le sujet des spécialistes de défense et de sécurité. Notre vie quotidienne en dépend.

La chute du mur de Berlin : le premier changement stratégique

Cette inquiétude sécuritaire ne cesse de croître depuis bientôt trente ans, en réalité depuis la chute du mur de Berlin en 1989. Avant cette date, le monde était figé depuis la fin de la Seconde Guerre mondiale par cet équilibre fragile entre les deux blocs : d'un côté, le pacte de Varsovie et ses divisions de fusiliers motorisés, censées progresser de manière quasi linéaire, axant tout sur la puissance et la force de leur organisation et de leurs équipements. De l'autre, le monde occidental, tiré par les États-Unis et rassemblé dans l'Alliance atlantique, qui s'entraînait sans cesse pour cette guerre improbable. Le monde était coupé en deux. On l'a d'ailleurs peut-être trop vite oublié. Il est plus facile de gouverner quand le contexte géostratégique est saisissable et prévisible.

J'ai vécu cela pendant ma première partie de carrière. Jeune lieutenant à Haguenau, en Alsace, on préparait la guerre dans la trouée de Fulda, une sorte de bataille de l'avant qui devait se tenir dans ce qui est aujourd'hui l'Est de l'Allemagne, au cas où les Soviétiques décideraient de nous attaquer par surprise, un week-end de Pentecôte de préférence. Nous nous préparions à une guerre, conventionnelle, bien à l'abri depuis les années 1960 sous le parapluie de la dissuasion nucléaire, qui devait nous éviter le pire. Le territoire national, singulièrement ses points sensibles, était quadrillé par nos unités militaires, au travers de ce que l'on appelait alors la défense opérationnelle du territoire. Chaque unité était chargée de protéger, sous une contrainte de temps très forte, tel ou tel relais radio, usine sensible, château d'eau ou autre. On passait nos week-ends dans les quartiers, les casernes, les bases, face à une menace improbable, celle de Spetsnaz parachutés depuis Moscou au cœur de la France et chargés de déstabiliser notre pays.

C'était la grande époque de la désinformation, de l'espionnage et du contre-espionnage, de ce que l'on baptisait la cinquième colonne, de la guerre sous-marine au quotidien, où nos bâtiments pistaient sans cesse les moyens soviétiques. Nos avions contrôlaient les provocations des Sukoï qui « tâtaient » nos défenses aériennes. Le spectre de la troisième guerre mondiale planait au-dessus de nos têtes, mais suffisamment haut pour ne demeurer qu'un spectre. La vie continuait et le danger semblait lointain. La peur n'était que virtuelle. Les dirigeants œuvraient plus ou moins bien, mais ils étaient totalement à leur tâche.

Passé les guerres coloniales en Indochine et en Algérie, qui nous ont rappelé que la paix est fragile et que la violence peut ressurgir à tout moment, seuls quelques incendies ponctuels nécessitaient l'emploi mesuré à sa juste suffisance des moyens conventionnels, notamment en Afrique. Finalement, le monde était rassurant et, d'une certaine manière, rassuré. L'équilibre existait et les guerres se succédaient, limitées en durée et en géographie, « loin de chez nous », comme le dit un chant de tradition militaire. Ce fut le cas au Vietnam et au Proche-Orient par exemple.

J'ai vécu tout cela dans l'armée de terre, dans le désert des Tartares, au pied du mur de Berlin. Cette guerre, nous l'avons gagnée par notre persévérance et notre volontarisme contre les forces obscures du communisme. L'Homme l'a emporté sur l'idéologie. Personne dans les années 1980 n'aurait parié en faveur d'un tel scénario de rupture, si rapide, sans affrontement militaire.

Ce monde a implosé, sans que nos experts aient véritablement senti venir sa disparition. Avec humour, un ami me disait que le géopoliticien se trompe souvent, mais qu'on l'oublie toujours. Dans la continuité, nous avons changé d'époque, sans toutefois véritablement l'analyser. La myopie ou la cécité ne sont pas simplement des pathologies physiologiques ; elles sont aussi une constante intellectuelle dans l'histoire de l'humanité.

Et puis survinrent les années des « dividendes de la paix ». La France, rassurée par la disparition soudaine de la faucille et du marteau, pouvait enfin relâcher l'effort de défense, lancé par le général de Gaulle et son concept d'indépendance nationale. En 1965, notre pays consacrait plus de 5 % de son produit intérieur brut aux dépenses de défense. Aujourd'hui, nous sommes, à périmètre comparable, à 1,8 %. Plus de cinq décennies, presque sans interruption, de décroissance de notre effort de défense, à l'image d'ailleurs de toute l'Europe. La guerre du Golfe en 1991, la guerre dans l'ex-Yougoslavie ensuite et l'éclatement des Balkans, aux portes de l'Europe, n'ont pas suffi pour convaincre nos dirigeants d'inverser la tendance. Quant à la guerre en Afghanistan, elle mobilisait des reportages télévisés qui magnifiaient la bravoure de Massoud et relataient l'enlisement soviétique, sans pour autant que la France se sente concernée.

Pendant cette période, entre les années 1970 et 1990, à l'École nationale d'administration, qui formait déjà une partie de l'élite de notre pays, moins d'une journée était consacrée aux sujets de défense. La guerre était devenue improbable, et seuls les militaires avaient intérêt à agiter sa menace pour limiter les coupes budgétaires. C'était ce que l'on entendait à l'époque dans les couloirs feutrés de la République et des cabinets ministériels. On l'entend d'ailleurs encore parfois aujourd'hui...

L'apparition du terrorisme islamiste radical : le monde prend peur

Et puis survint l'attaque des deux tours à New York le 11 septembre 2001, deuxième véritable tournant stratégique. Le monde découvrit à cette occasion le terrorisme, capable de frapper n'importe où, y compris le pays le plus puissant du monde. Al-Qaida, qui sera suivi par de nombreux autres mouvements terroristes, a aussi frappé les esprits, bien au-delà de ses bases afghanes. C'est le début de l'inquiétude populaire. Les Français prennent conscience que, avec la fin des deux blocs, nous sommes passés d'un monde bipolaire et rationnel à un équilibre complexe et multipolaire, dans lequel l'acteur terroriste est devenu totalement imprévisible, asymétrique et barbare dans ses modes d'action.

Le bon sens n'étant pas ce qu'il y a de plus partagé, cela n'a pas suffi aux pays européens pour imaginer le retour possible de la guerre. Les difficultés économiques et sociales de la fin du XXe siècle et la crise financière de 2008 ont fait le reste. Gains de productivité, rationalisation, revue générale des politiques publiques : le ministère de la Défense français, et singulièrement les armées, ont pris de plein fouet les efforts nécessaires d'économies à mener, n'étant protégés ni par les syndicats ni par les manifestations dans la rue. En vingt ans, plusieurs livres blancs sur la défense ont réussi l'exploit d'expliquer dans la première partie pourquoi ce monde est de plus en plus dangereux, tout en justifiant dans la seconde pourquoi il était nécessaire de baisser l'effort de défense. La défense disparaissait peu à peu des budgets à mesure que la guerre s'effaçait des esprits. Les jeunes générations ne pouvaient plus imaginer d'avoir à se battre pour défendre la patrie, et les Européens, plus encore que les Français, semblaient avoir conquis un droit acquis à la paix éternelle.

Contresens historique évidemment, que nous avons déjà connu dans notre passé. L'histoire ne repasse pas les plats, mais elle a quelques constantes. Surtout, dans le cas présent, on sait qu'il faut au moins dix ans pour remonter en puissance, compte tenu du délai nécessaire pour reconstituer un modèle de ressources humaines et concevoir puis construire les équipements. La défaite de 40 n'était pourtant pas si lointaine. Les responsables ont parfois la mémoire courte et surtout sélective.

Nous arrivons alors aux attentats du 7 janvier 2015 contre *Charlie Hebdo*, précédant les attaques du Bataclan le 13 novembre de la même année. J'ai vécu ces attentats dans ma chair, au plus intime de mes responsabilités et de ma vie quotidienne. Je me revois, le 8 janvier et le 14 novembre 2015, aux lendemains de ces attaques, durant les conseils restreints qui avaient été organisés sous la présidence de François Hollande. La veille au soir, j'avais été informé aussitôt des attaques, avais suivi les opérations, avant de dormir quelques heures pour reprendre des forces. Quand je suis entré dans la salle du conseil restreint, les visages étaient bien sûr graves et tendus, mais aussi, pour certains, bouleversés et fatigués. On n'imagine pas, tant qu'on ne l'a pas vécu, le stress post-traumatique que suscite la vue d'une scène de guerre, la nuit d'insomnie qui suit. Pour des raisons évidentes de confidentialité, je n'épiloguerai pas sur le déroulement de ces réunions, mais je peux vous dire que j'ai senti en ces circonstances la profondeur et la gravité des changements que nous vivions et qui dépassaient la crise à gérer. Un véritable tournant stratégique. La France se met à avoir peur, frappée au cœur par des « fous d'Allah », pour l'essentiel de nationalité française. Quelques jours après les attaques, durant le fameux défilé populaire dans Paris, on applaudit les forces de l'ordre. Quel changement aussi rapide que brutal !

Simultanément, Daech en Syrie et en Irak proclame la guerre contre l'Occident et revendique plusieurs attentats en Europe. Dans le monde entier se développe cette idéologie nihiliste, qui vise à conquérir les territoires pour imposer la charia et ses modes de vie. On frappe jusqu'en Amérique du Sud, notamment au Brésil, mais aussi en Asie, en Afrique, partout où se développent les cellules djihadistes, telles les métastases cancéreuses. La peur est de retour face la violence la plus extrême, qui n'est pas un moyen mais une fin en soi. On viole, on pille, on décapite, on égorge à quelques heures de vol de Paris, en Libye, en Syrie, en Égypte, etc. Au cœur même de la France, on égorge un prêtre, puis un lieutenant-colonel ; on abat des journalistes pour ce qu'ils incarnent. On attaque nos symboles : la religion, l'armée, la presse. L'idée est bien de tuer ceux qui représentent l'État des infidèles. « L'hydre islamiste », suivant l'expression du président de la République Emmanuel Macron, le

28 mars 2018, est présente à l'intérieur et à l'extérieur de notre territoire.

Deux conceptions de la vie se font face : l'une guidée par l'amour et l'autre par la haine ; l'une nous montrant le chemin de la civilisation et l'autre celui de la barbarie. Le lieutenant-colonel Beltrame incarne la vie acceptée et donnée, en réponse à la mort voulue et répandue.

L'État français a fait des progrès considérables dans l'appréhension puis la compréhension de cette menace, que ce soit dans la prévention ou la réaction. Je peux en témoigner, et la qualité de nos services de renseignement et de nos forces de sécurité intérieure est à souligner.

Il reste au moins encore deux difficultés à surmonter. La première est d'empêcher les personnes identifiées comme dangereuses d'agir et de passer à l'acte. Elles sont nombreuses, de plus en plus silencieuses et imprévisibles.

La deuxième difficulté est plus profonde. Comment réduire les causes structurelles d'une radicalisation, qui plonge ses racines dans une identité déchirée, une absence de perspective, souvent une profonde pauvreté, une désespérance sans issue, bref une absence de réponse aux aspirations plus existentielles de notre jeunesse ? Ce chantier doit s'inscrire dans la durée et ne peut pas être mené simplement dans l'Hexagone, compte tenu de la mobilité des personnes concernées de par le monde. Cela passera en priorité par le démontage des ghettos existants, dans lesquels des quartiers entiers sont gangrenés par une « salafisation » des esprits. Cela demandera en réalité la mise en place d'une politique globale de contre-radicalisation à l'échelle nationale et européenne, et de reconstruction du creuset national.

Un rapport sénatorial de l'été dernier s'alarmait de l'expansion du salafisme et proposait quelques mesures de bon sens : associer mieux les maires au renseignement ; prévenir la contagion radicale en prison, maîtriser certaines mosquées radicales, contrer le « djiadisme 2.0 » ; structurer l'islam de France. En réalité, il suffit déjà de faire respecter les lois : interdire le voile intégral sur la voie publique, les prières de rue, les prêches extrémistes, les attitudes provocatrices.

Après des décennies de paix, nous voilà rattrapés par la guerre. Très vite, comme pour se rassurer, certains spécialistes nous ont expliqué que nous n'étions pas en guerre, car il fallait reprendre le chemin des salles de spectacle et d'ailleurs aucun État ne nous l'avait déclarée. Pas faux, mais, en cela, on niait aussi une autre forme de réalité, car cette violence ne peut être assimilée à du grand banditisme idéologique, mais plutôt à un ennemi mondial déclaré et pour partie déjà sur notre sol. Il est de bon ton de critiquer la phrase de Gilles Kepel dans *La Fracture* : « La France s'est installée graduellement dans une guerre civile larvée. » Et pourtant, comme l'a écrit Alain Bauer en mars 2018, « l'État islamique a vécu en tant qu'État... Il existe un autre califat. Virtuel mais puissant, décentralisé mais disposant de ressources d'autant plus difficiles à saisir qu'il n'en tient lui-même pas d'inventaire ».

Simultanément, sur notre propre territoire, bien au-delà du sujet terroriste, la violence est omniprésente, et l'ignorer me semble irresponsable. Gardiens de prison agressés, policiers attaqués, territoires occupés sont malheureusement la réalité. « La police est désormais considérée comme une bande rivale, à l'encontre de laquelle tous les coups sont permis », estimait même Thibaut de Montbrial le 16 janvier 2018. Ces individus incontrôlables sont plus ou moins en lien avec les mouvances terroristes islamistes radicales, cherchent à protéger leurs zones d'implantation, la plupart du temps pour poursuivre en toute quiétude leurs trafics, notamment de stupéfiants. Dans certaines banlieues, les caïds commandent et les guetteurs, souvent mineurs, veillent. C'est malheureusement la réalité d'une certaine France d'aujourd'hui. Exagérer est dangereux, mais ne rien dire est tout aussi coupable. En cela, le terrorisme islamiste est, dans certains quartiers en Europe, une des formes du communautarisme. Les difficultés dans nos banlieues ne sont pas simplement économiques et sociales ; elles sont aussi culturelles.

La violence, voire la sauvagerie, est devenue un fait de société. Les attaques au couteau se multiplient dans l'espace public sur des passants qui avaient le malheur de se trouver là. Cela n'existait pas il y a encore quelques années et ne correspond pas à notre culture sociétale. Nous ne sommes pas dans le registre des accidents de voiture et toute accoutumance à ce type de délits est un aveu d'impuissance ou de déni de réalité, même si nous sommes en présence d'un déséquilibré.

L'affaiblissement de l'autorité puise autant dans la crise de l'éducation que dans la persistance des ghettos. Malgré les milliards d'euros investis dans la politique de la ville, l'échec en matière d'intégration est patent et nous laisse face à une fraction de la jeunesse immigrée qui récuse parfois la légitimité de l'autorité française. Les faits sont têtus : on recense en France près de mille agressions par jour non crapuleuses (autre que le vol et sans compter les violences sexuelles, qui dépassent largement la centaine par jour). Le nombre d'attaques au couteau s'accroît en permanence, illustrant bien ce changement sociétal.

Nombre de Français pensent que « le monde va de travers ». Beaucoup m'ont dit dans les séances de dédicaces que le premier devoir d'un État est la protection de ses ressortissants et que, depuis trop longtemps, nous avions baissé la garde. L'un d'eux m'a même déclaré à voix basse, de peur d'être considéré comme extrémiste : « Comment être heureux dans ce climat de défiance permanent dans certains quartiers de nos villes ? »

Le malaise est là. L'inquiétude, parfois même la peur, dominent face à cette situation aussi étrange que singulière. Diriger, dans ce contexte sécuritaire, n'est pas simple. Je pense par exemple à nos enseignants dans les écoles, qui savent qu'à tout moment ils peuvent être contraints d'évacuer la classe, le lycée, en cas d'attaque terroriste ; aux équipes du SAMU, dans le Var, qui portent désormais des gilets pare-balles lors de leurs interventions.

Le retour des empires : le monde fait peur

Simultanément à la montée en puissance du terrorisme, nous assistons depuis une dizaine d'années au retour progressif de ce que l'on peut appeler les États-puissances, notamment certains anciens empires qui cherchent à retrouver leur grandeur perdue. Au Levant, en mer de Chine, dans la bande sahélo-saharienne en Afrique, dans l'Est de l'Europe, les tensions sont vives. La Russie et la Chine accroissent leur budget de défense de 5 à 10 % par an depuis une décennie. L'exercice « Vostok », en septembre dernier, déployant sur le terrain près de 300 000 militaires russes, complétés par quelques troupes chinoises, illustre ces capacités retrouvées. La tenaille sunnites-chiites étreint les Proche et Moyen-Orient, avec, en arrière-scène, l'Arabie saoudite et l'Iran. La Turquie est décidée à éradiquer définitivement les Kurdes, qui sont considérés comme des terroristes bien plus dangereux que Daech ou Al-Qaida. L'Amérique du président Trump ne simplifie pas le panorama, ni commercial ni géostratégique, avec le retour d'une doctrine bien connue autour de l'« *America first* ».

Ces États-puissances, que Nicolas Baverez nomme judicieusement les « démocratures », pratiquent allègrement le déni d'accès, la contre-influence et la diplomatie du fait accompli. Évidemment, la prolifération nucléaire ajoute un degré de dangerosité à cette situation, compte tenu du nombre de provocations des uns et des autres. En réalité, comme l'a souligné

Vladimir Fédorovski dans *L'Opinion* en février 2018, « durant la guerre froide, il y avait des manipulations, de la désinformation, mais il y avait des règles. Aujourd'hui, les gens mentent et croient à leurs propres mensonges ». Arnaud Danjean, ancien président de la *Revue stratégique du ministère des Armées*, parlait déjà à l'automne 2017 « d'un monde multipolaire en voie de fragmentation et sans direction dans les deux sens du terme, c'est-à-dire à la fois sans leadership et sans orientation ». Il est facile d'imaginer la complexité pour les dirigeants, toutes spécialités et niveau de responsabilité confondus, de développer leurs activités, quelles qu'elles soient, dans ce monde éminemment instable et surtout imprédictible. Les revirements du dossier iranien illustrent cette difficulté à établir un plan stratégique fiable pour les entreprises. Certaines, à peine avaient-elles commencé à réinvestir en 2017, ont dû quitter de nouveau le pays quelques mois après.

Le risque d'embrasement, au moins régional, est réel, d'autant plus que la menace terroriste et le retour des États-puissances sont deux lignes de conflictualités distinctes, mais non disjointes. Je l'ai expliqué à temps et à contretemps : des bandes armées se prétendent être des États et des États se comportent comme des bandes armées. En Syrie par exemple, il n'est pas rare de voir, sur un périmètre d'une vingtaine de kilomètres carrés, des soldats turcs, iraniens, américains, russes, syriens. Un seul but commun officiellement les anime : détruire Daech et Al-Qaida. Pour le reste, leurs intérêts divergent grandement et ces pays ont chacun leur propre stratégie de long terme, comme d'ailleurs les terroristes islamistes.

Les migrations incontrôlées : un risque de déstabilisation des sociétés

Ce monde en fusion est traversé par des migrations incontrôlées, qui nécessitent un effort international coordonné. La pauvreté se développe, sous le double effet des guerres et des difficultés économiques, poussant des centaines de milliers d'hommes, de femmes et d'enfants à quitter leur pays d'origine pour rejoindre un hypothétique bonheur. L'Europe se retrouve ainsi sous la double pression des guerres du Proche et du Moyen-Orient et de la misère du nord de l'Afrique, illustrant malgré elle la phrase prémonitoire de Houari Boumédiène, prononcée il y a plus de soixante ans : « Un jour, des millions d'hommes quitteront les parties méridionales pauvres du monde pour faire irruption dans les espaces relativement accessibles de l'hémisphère nord, à la recherche de leur propre survie. »

Il y a aujourd'hui 500 millions d'habitants dans l'Union européenne et 1,5 milliard d'Africains de l'autre côté de la Méditerranée, dont 40 % ont moins de… 15 ans. 60 % de la population en Afrique a moins de 25 ans. N'oublions pas que l'Afrique gagnera 2 milliards d'habitants d'ici à la fin du siècle, quand simultanément l'Europe diminuera de plus de 100 millions. En 2050, les 450 millions d'Européens auront 2,5 milliards de voisins africains. Il ne s'agit pas de faire peur, mais de dire la vérité, sans la travestir, ni pour effrayer ni pour rassurer. La tendance démographique est incontournable, tout comme ses implications.

Personne ne peut nier que la question de l'immigration fasse monter toutes les peurs en Europe. « La jeune Afrique va venir chercher de meilleures chances de vie sur le Vieux Continent ; c'est inscrit dans les faits », a écrit Stephen Smith dans *La Ruée vers l'Europe.* « Or, l'intégration est un long travail et son succès ne se révèle souvent qu'à la deuxième, voire troisième génération… Le principe que l'Europe décide qui entre et n'entre pas dans son espace communautaire est fondamental », poursuit-il à juste raison. Cette maîtrise des flux migratoires sera probablement le sujet essentiel pour l'équilibre du monde et la cohésion de l'Europe et des États qui la composent. Il y va de la crédibilité de nos responsables et de la réussite de toute politique, au sens du gouvernement de la Cité. Il faudra retrouver une forme de lucidité salutaire sur ce sujet.

Où est l'Homme dans tout cela, alors que l'extrême richesse côtoie la misère la plus grande ? Comment lutter contre cette pauvreté inacceptable ? Que peut-on faire face à ces changements de peuplement qui touchent la plupart des continents et en premier notre vieille Europe ? Autant de questions qui inquiètent, d'autant que notre continent semble bien démuni face à ces phénomènes : « L'agence Frontex en charge du contrôle de l'immigration en Europe, compte 1 500 agents opérationnels, quand les Coast Guard américains emploient 40 000 personnes, qui mettent en œuvre 250 navires et pas moins de 200 aéronefs », soulignait, dans une tribune parue l'été dernier, Alexandre Malafaye.

Il faudra de toute façon dépassionner le débat, car les faits sont têtus. « La migration ne partage pas le Bien du Mal. Une moitié de l'Europe fait comme si la migration allait lui faire perdre son âme, alors que l'autre moitié s'en empare pour prouver qu'elle en a une. Il ne s'agit pas de cela, mais de politique de bon voisinage entre l'Europe et l'Afrique », poursuit Stephen Smith.

Là encore, la stratégie de long terme, reposant sur un co-développement dûment inscrit dans une planification au moins à trente ans est nécessaire ; bien au-delà des mesures de court terme, qui peuvent apparaître comme un pansement sur une jambe de bois. Les États-puissances planifient leurs grands objectifs à cet horizon et la montée en puissance chinoise spectaculaire en Afrique depuis une dizaine d'années n'a rien du hasard. La profondeur de champ et l'épaisseur du temps sont une garantie de succès. Elles s'accommodent mal de la mode et de l'instabilité politique de nos démocraties européennes, trop souvent inconstantes et versatiles.

L'Homme met le monde en danger

Une des raisons de ces migrations est d'ailleurs le dérèglement climatique, qui ne cesse de s'amplifier, en dépit des modestes avancées internationales. Les Nations unies envisagent qu'en 2050, si rien n'est fait, il y aura de l'ordre de 250 millions de réfugiés climatiques. Là encore, l'Homme donne l'impression du pompier pyromane, cherchant à éteindre l'incendie qu'il ne cesse d'alimenter. Le poids des lobbies est tel que la finance internationale l'emporte sur ce qui est à tort considéré comme du sentimentalisme ou de l'idéologie.

Le respect par l'Homme de la planète – de la Création pour ceux qui croient en l'existence de Dieu – s'éclipse devant la puissance des intérêts financiers. Peu importent les conséquences de moyen et long terme. On gère le court terme, quitte à laisser aux prochaines générations une planète sans futur. Cette politique de l'autruche menée depuis des décennies produit les effets redoutés du dérèglement climatique et de la pollution de l'air, de l'eau, des aliments, et des maladies qui en résultent. La hausse et l'acidification des océans, la perte de la biodiversité, la multiplication des phénomènes météorologiques violents illustrent cet acharnement de l'Homme à fabriquer lui-même les contraintes qui, demain, risquent de le broyer. Triste bilan d'une absence de responsabilité collective, car les solutions sont transfrontalières, même si les responsabilités sont d'abord nationales.

Près de 50 % des espèces des régions les plus riches en biodiversité seraient menacées d'extinction d'ici à 2080. Dans nos campagnes françaises, il y aurait trois fois moins d'oiseaux aujourd'hui qu'en 2003, selon les chercheurs du Museum d'histoire naturelle et du CNRS. Les pesticides seraient responsables en grande partie de ce phénomène, de même que de la perte de 80 % des insectes volants en Europe en trente ans, selon une étude publiée en octobre 2017.

Les ressources de la nature ne sont pas illimitées et nous devons les respecter bien au-delà de ce que nous avons fait ces dernières décennies. Il n'est pas possible de continuer à ce rythme de croissance : eau potable, forêts primaires, raréfaction du pétrole, érosion des sols, pénurie de sable. Les engagements de réduction d'émissions de gaz à effet de serre présentés par les différents États ayant participé à la conférence de Paris fin 2015 sont insuffisants et ne sont pas respectés intégralement. Les évolutions de notre modèle agricole sont lentes, comme en témoigne le délicat dossier de la suppression des pesticides et la disparition progressive de nos abeilles. Une sorte d'aveuglement collectif se poursuit, entretenu par les lobbies internationaux, qui ont intérêt au statu quo et qui ne se préoccupent guère du bien commun.

Comme chef d'état-major des armées, j'ai eu l'occasion de m'exprimer sur ces thèmes, car ils sont directement en lien avec la stabilité du monde et l'équilibre de l'humanité. Tout chef responsable doit prendre en compte cette problématique du développement durable.

Nous vivons dans un monde en fusion, en confusion

Nous sommes donc sur une sorte de volcan en fusion, qui entraîne une grande confusion. Comment ne pas s'inquiéter de la complexité croissante du monde ? Comment croire en la capacité des dirigeants à maintenir la paix ? Il n'y a pas de vision stratégique du temps long. On est dans la tactique, voire la tyrannie du temps court. Avant toute intervention militaire, lorsque j'étais chef d'état-major des armées, la première question que je posais était toujours : quel est l'effet final recherché par cette action militaire ? Quel est l'objectif ? Quelle est la stratégie ? On a pu voir en Irak, en Afghanistan, en Libye, que l'absence de vision, même du simple jour d'après, ne permet pas d'amener une paix durable. Au bilan, on gagne la guerre souvent, et on perd presque toujours la paix ensuite.

Pour essentielles qu'elles soient, les organisations internationales touchent leurs limites. Leur taille ne cesse de s'accroître, mais certainement pas leur efficacité. Elles sont handicapées par des administrations pléthoriques dans un monde qui exige des décisions franches et rapides. L'ONU se réunit pour prendre, souvent dans la douleur, des résolutions ; l'OTAN conduit des exercices souvent dérivés de l'ancien monde et l'Europe se déchire à Bruxelles sur des sujets oubliant l'essentiel. Parfois d'ailleurs, l'OTAN s'oppose à la construction de la défense européenne et l'Europe duplique les organisations otaniennes existantes, dans une sorte de tragique bagarre techno-cratique sans vision stratégique. Autrement exprimé sous la plume de Christian Makarian, le 28 février 2018 : « La Syrie est devenue le symbole fumant de la destruction de l'ordre international. »

Tous les moyens sont bons pour accroître la tension et multiplier les risques « de guerre par accident ». En mer, les trafics de tous types se multiplient et la marine de haute mer a retrouvé sa vocation. L'activité sous-marine est revenue au niveau qui était le sien avant la chute du mur de Berlin. Dans les airs, il n'est pas rare que des avions étrangers cherchent à tester notre système de protection aérienne, et notamment la qualité de notre coopération avec nos pays voisins. À terre, nous avons été frappés sur notre propre sol et des tentatives d'intrusion existent sur nos emprises militaires ou sur les points sensibles. Dans l'espace, la maîtrise satellitaire est capitale, en particulier pour le renseignement. La cyberguerre peut mettre en cause la souveraineté de notre pays par des attaques contre nos réseaux économique, financier, bancaire ou mi-litaire.

Le monde réagit à la multiplication des menaces en musclant son arsenal de guerre. Les exportations d'armement ont augmenté de 10 % entre 2013 et 2017, par rapport à 2008-2012, constate le Stockholm International Peace Research Institute (Sipri).

Finalement, pour résumer, je reprendrai volontiers les propos d'Hubert Védrine en janvier 2018 : « Le monde bipolaire de la guerre froide (1943-1991) a disparu. Les États-Unis ne sont plus l'hyper-puissance des années 1990. L'ONU, l'OMC, le G20, etc., sont des cadres. Il n'y a pas encore de vraie "communauté internationale". Résultat, un monde chaotique et une mer "agitée à très agitée", tout le temps. Plus dangereux ? Pas forcément, mais instable. »

Dans ce contexte, la solution passe probablement par une idée simple : le chef qui rassure est celui qui est un artisan de paix. Pacifique, il sait que seule la force fait reculer la violence. Et pas pacifiste, car la faiblesse est génératrice de tous les maux.

Chapitre 6

Gagner la paix

Nous sommes entrés non pas dans une époque de changement, mais dans un changement d'époque. Dans cet univers en fusion, dans cette période où nous avons le sentiment d'atteindre un point de bascule, la confusion engendre la division. Comme nous l'écrivions ensemble avec mes anciens homologues chefs d'état-major des armées américaine et britannique en mars dernier, dans une tribune conjointe dans *Les Échos* : « La sécurité du monde sera d'autant plus gravement menacée que l'on refusera de reconnaître les dangers, d'identifier des solutions communes et de faire en sorte que les leaders décident d'actions inclusives. » Le chef est un artisan de paix. Il recherche l'unité et lutte contre le célèbre « diviser pour régner ».

Réinventer la gouvernance internationale

Ayant eu la chance de côtoyer le sommet de l'État pendant près de dix ans, j'ai pu mesurer les changements géostratégiques profonds de notre monde. Je suis frappé, lors de mes multiples conférences en France et à l'étranger, de l'intérêt que porte le grand public à tous ces sujets, toutes générations confondues. En réalité, les Français sentent bien que tout ce qui se passe à l'international peut les concerner très directement et quasi immédiatement tant le temps s'est accéléré et l'espace rétréci. Comme l'a déclaré récemment Jean-Marie Guéhenno, « les événements dirigent, pas les dirigeants ».

Les gens perçoivent aussi, dans une sorte de réflexe de survie, que nous cheminons sur un volcan et que les instruments destinés à maîtriser une quelconque éruption ne suffisent plus : ils sont à la fois trop lents et insuffisamment puissants. Il est grand temps, avant qu'il ne soit trop tard, de réinventer un mécanisme de régulation de l'ordre international, dans une approche résolument pragmatique. Pour cela, à moins d'accroître encore davantage les crispations et les replis sur soi, il faut impérativement tenir compte du retour du fait national. Il ne faut plus opposer l'unilatéral et le multilatéral. La paix en dépendra. Et ce d'autant que la mondialisation n'est pas un gage de paix. L'ONU et la Banque mondiale ont publié un rapport à la fin du mois de février 2018, dans lequel il est clairement démontré que, depuis une dizaine d'années, le nombre d'attaques terroristes et de leurs victimes (autour de 40 000 morts par an) ne cesse d'augmenter.

La mondialisation, qui procure à nos jeunes des expériences et une ouverture incontestables, risque de façonner des individus de nulle part, « ni d'aucun temps ni d'aucun pays », comme l'écrivait Fénelon. Pourtant, l'enracinement est probablement le besoin le plus important, au plus profond de l'être humain. Il provient pour l'essentiel de la terre sur laquelle on est né : la terre des pères, la patrie, et de la communauté dans laquelle on a grandi, qui s'appelle la nation, communauté d'hommes et de femmes réunis par des valeurs choisies ensemble et incarnée par un État chargé de la faire vivre et de l'organiser. Le mondialisme forcené, qui nie cela ou en fait abstraction, est une idéologie dangereuse. Tout dirigeant responsable ne peut l'ignorer. Un homme est d'autant plus efficace qu'il sait d'où il vient et ce qu'il incarne.

Il est aussi stupide de refuser la nécessité d'une approche transfrontalière pour la sécurité ou internationale pour le commerce que de porter aux nues la langue anglaise, la fusion des nations et l'Homme hybride. Savoir d'où l'on vient n'a jamais empêché d'aller où l'on veut, bien au contraire ! Sur votre mobile, quand vous entrez votre destination sur un GPS, vous n'oubliez jamais de vérifier que l'application a bien pris en compte l'emplacement précis de votre point de départ. Sinon, vous risquez d'avoir des surprises dans le guidage. Il ne s'agit pas d'opposer le service de son pays et la capacité de travailler dans un milieu international, puisque l'un et l'autre de ces engagements se nourrissent et se renforcent.

D'ailleurs, si je n'avais pas su avant d'être chef d'état-major des armées ce qu'était une nation, un pays, je l'aurais de toute façon découvert à Bruxelles ou ailleurs. On ne parle pas à un Allemand comme à un Anglais ou à un Américain. Tous ceux qui voyagent et font des affaires dans le monde entier le savent. Ne nous laissons donc pas berner par un discours nivelant à prétention rousseauiste qui nierait cette réalité jugée obsolète, conservatrice voire réactionnaire. Le progrès et la modernité ne résident pas dans la béatitude d'un être uniforme, sans particularité ni singularité, qui nous amènerait à un monde sans guerre, parce que sans frontières et plus fraternel. Les bons sentiments n'assurent pas la paix du monde. Mon expérience me fait dire que, pour sauvegarder la paix, il faut tenir compte de ces différences entre les cultures, les nations et les hommes. La richesse provient de la diversité. Vouloir la nier relève d'une absence de pragmatisme et d'un angélisme déplacé. Pour créer de la synergie, il faut utiliser les qualités et minorer les défauts. Chaque peuple a ses caractéristiques, qu'il faut connaître et respecter.

De la même manière, le patriotisme authentique n'est pas mû par une absence d'ouverture aux autres, ou un mouvement d'agressivité, mais simplement par un constat de bon sens : les problèmes transfrontaliers nécessitent une coopération accrue entre pays souverains et non l'abandon par chaque pays de sa souveraineté nationale. Au contraire, la dilution des peuples dans un monde sans frontières est le meilleur moyen de susciter de l'inquiétude et de déclencher des conflits. Si les dirigeants négligent cette contrainte, la mondialisation peut devenir un risque pour la paix. Chacun, en Europe, le sent confusément. Il faudra entendre les protestations qui grondent. Comme l'Histoire nous l'enseigne, on ne réforme ni profondément ni durablement contre la volonté des peuples.

Le système multilatéral est fortement contesté, rigide et inadapté au temps court. La communauté internationale doit trouver des dynamiques nouvelles, des articulations plus souples, régionales et décentralisées. Ainsi, notre budget de défense français cotise trois fois : pour notre propre sécurité, pour les organisations internationales, européenne et otanienne, et pour les coalitions régionales, comme au Levant ou au profit du G5 Sahel. On ne pourra pas continuer éternellement ainsi. Les réformes de l'ONU, de l'OTAN et de l'Union européenne, dont on parle tant et depuis si longtemps, doivent être entreprises et conduites à leur terme. Ces organisations doivent pouvoir à nouveau peser sur les affaires du monde dans le juste tempo et avec les outils adéquats. Moins de technostructure, moins de papier, moins de réunions, moins de *process*. Plus de décisions, plus de rapidité, plus de concret. Sinon, je ne suis pas sûr que la communauté internationale ne se réduise à un concept inopérant face à la réalité du monde et à ses leaders volontaristes, qui, chacun à leur façon, mettent en œuvre une vision stratégique divergente, parfois antagoniste, mais globalement unilatérale.

Et pourtant, les grands défis de ce monde ne pourront être résolus que dans le cadre d'une coopération multilatérale : lutte contre le terrorisme, développement, désordres climatiques, déséquilibres démographiques ou économiques. Pour reprendre le titre du dernier ouvrage d'Hubert Védrine, les « comptes à rebours » sont entamés. Il est dans l'Histoire des moments où l'ordre international atteint ses limites, à moins de changer la donne en profondeur afin de mieux réguler les relations internationales. Encore une histoire d'hommes et de femmes de bonne volonté, en espérant qu'ils se manifestent rapidement. Encore une histoire de chefs, en souhaitant qu'ils soient au rendez-vous de l'Histoire.

Les hommes raisonnent toujours avec une « guerre de retard ». Tel est le constat tristement lucide de Marc Bloch, dans *L'Étrange Défaite*. Cet ouvrage, écrit à la fin de l'année 1940, résonne comme une exhortation pressante à conserver une « paix d'avance », par une vigilance redoublée vis-à-vis de tout ce qui mine, petit à petit, les équilibres chèrement acquis.

Car la paix ne va jamais de soi ! Il faut la conquérir, puis la préserver. L'idée que, dans ce combat, la force serait dépassée est bien sûr erronée. Mais croire que la force seule, fût-elle « européenne », pourrait suffire à relever ce défi immense, me semble dangereusement illusoire.

L'Europe loin de ses objectifs initiaux

La construction européenne donne parfois l'impression de vouloir faire le bonheur des gens contre leur gré. Les indicateurs financiers et les objectifs de réduction des déficits imposent des contraintes administratives et budgétaires que de nombreux responsables soulignent. Là encore, un moyen – l'économie – semble en passe de devenir une fin, au détriment du seul objectif qui devrait compter : le bonheur de la population. De très nombreux experts estiment que les critères normatifs, quand ils sont trop exigeants et intrusifs, aboutissent à l'inverse de l'objectif fixé. Le retour du fait national correspond certainement à une forme d'anticorps développée par les peuples. Il ne peut être balayé d'un revers de main, tant la recherche de l'adhésion apparaît comme le fondement d'une bonne gouvernance démocratique. Mieux vaudrait écouter les peuples que dénoncer le populisme, en s'étonnant par ailleurs d'être toujours plus impopulaire.

D'autant que, chacun le sent et le pressent, plus que jamais dans le contexte géostratégique et économique actuel, nous avons besoin d'une Europe forte et unie. L'Europe progressera par des projets concrets : c'était la conviction de Jean Monnet. Elle progressera aussi si elle retrouve cette vision humaniste historique : c'était l'objectif de Robert Schuman. Nous en sommes loin aujourd'hui. Il est temps de revenir aux sources et d'y puiser l'énergie nécessaire pour bâtir une Europe humaine, sociale et culturellement apaisée, une Europe qui sait qui elle est et d'où elle vient. Ni une autruche immobiliste ni un cabri suicidaire.

Les dirigeants français en ont besoin. Trop souvent, l'Europe devient une contrainte technocratique et non une plus-value, une opportunité. Sans la vision d'origine, le carburant manquera et le véhicule restera en panne. À titre d'exemple, pour les armées, des projets concrets, pragmatiques, soutenant les opérations militaires, font avancer l'Europe ; pas les effets d'annonce, ni les sommets bureaucratiques. Dans cet esprit, je prône une Europe de la défense plus qu'une défense européenne. Toute coopération communautaire est bonne à prendre, mais c'est avant tout la coopération interétatique qui fait avancer l'Europe dans ce domaine. La nuance est d'importance. L'armée européenne fusionnée est un rêve, qui pourrait se terminer en cauchemar. Je crois aux souverainetés nationales, pas à la souveraineté européenne.

Cela est d'autant plus essentiel aujourd'hui, alors que l'Europe respire de ses deux poumons, l'occidental et l'oriental, mais que le souffle est parfois court, et le pouls irrégulier. Je l'ai mesuré très clairement à chaque réunion à Bruxelles. Les ex-pays de l'Est préfèrent largement le parapluie otannien sous pilotage américain, qui leur semble plus rassurant face aux menaces russes que les velléités de défense européenne balbutiantes et poussives. Une autre coupure me semble tout aussi grave entre les pays du Sud et ceux de l'Est de l'Europe. Les premiers se sentent attaqués par le terrorisme et les seconds menacés, essentiellement par les Russes, massés à leurs frontières. J'ai souvent joué les bons offices pour maintenir la cohésion entre les chefs d'état-major européens sur ce plan. Plus que jamais, nous avons besoin d'unité.

Une France souveraine dans une Europe forte

Lyautey a beaucoup insisté sur la nécessité de l'unité : « À l'état de guerre haineuse et violente qui sépare stérilement les enfants du même sol, de parti à parti, de classe à classe, il faut substituer la recherche pacifique des problèmes posés par la révolution industrielle et économique de ce temps : marcher, non plus la revendication et la répression au poing, mais la main dans la main, dans la large et noble voie du progrès social », écrit-il. Sa vision de la coopération internationale était très en avance sur son époque. Il avait pressenti avant beaucoup d'autres le décalage entre une France en pleine révolution industrielle et une Afrique du Nord presque à l'arrêt en matière de développement économique. Il avait bien vu le décalage grandissant entre, d'un côté, les forces de l'argent et, de l'autre, la morale traditionnelle et rurale, en particulier au Maroc. J'ai pu vérifier lors de mes contacts, y compris sur place avec mes amis marocains, la trace encore actuelle laissée par le maréchal Lyautey. Il était un homme sincère et vrai, généreux, rassembleur, comme l'ont été beaucoup de Français à l'époque coloniale. Un homme qui avait compris que la patrie et la nation ne s'opposent pas à l'amitié entre les peuples et à la coopération gagnante-gagnante. Un homme qui savait que la France est grande quand elle s'ouvre aux autres cultures, sans perdre son âme.

Dans cet esprit, la France doit insuffler la dynamique pour notre Europe, qui s'essouffle sous l'absence de vision, étouffée par la seule dimension économique et financière, par des technocrates souvent hors sol au point même, parfois, de paraître apatrides. Cette Europe puissance, dont notre monde a absolument besoin face au retour des anciens empires et au terrorisme islamiste radical, se fera d'abord par le haut, c'est-à-dire par la volonté politique de ses dirigeants et dans le respect du choix des peuples, qui veulent légitimement conserver leur spécificité culturelle et nationale. L'Europe doit être forte en additionnant les atouts respectifs de chacun dans le cadre de coopérations interétatiques en matière de sécurité, d'immigration, de justice, d'éducation et de nouvelles technologies.

Cette Europe est comme la France, au sujet de laquelle Bernanos écrivait qu'on ne la referait « pas par les élites mais par la base ». Elle se construira ensuite par le bas, avec des projets concrets, à géométrie variable. Je pense par exemple à la force conjointe que nous avons mise en place avec les Britanniques dans le cadre des accords de Lancaster de 2010 et qui est opérationnelle depuis 2016. Je crois aussi, pour l'avenir, à la création conjointe, avec nos amis allemands, d'un drone armé capable d'être engagé à l'horizon 2025. Voilà des projets construits en partant des exigences du terrain et que pourraient rejoindre rapidement d'autres partenaires européens attachés au concret, c'est-à-dire à l'efficacité opérationnelle et financière.

À l'inverse, le programme de l'avion de transport militaire A400M est riche d'enseignements… de ce qu'il faut éviter. Voilà un projet conçu dans les années 1990, et né dans les années 2000 sans satisfaire aucun des huit pays impliqués dans sa genèse. L'idée était simple : il s'agissait de créer un avion européen capable d'effectuer des vols stratégiques à très haute altitude et sur de longues distances, comme d'atterrir sur des sols rustiques en opérations. Mais un problème de taille aurait dû alerter les décideurs : chacun des pays partenaires avait ses propres besoins, et surtout son propre calendrier. La France, dont les avions de transport ont aujourd'hui plus de trente ans en moyenne, était particulièrement pressée, ce qui n'était pas le cas de certains de nos partenaires. Autrement dit, ce projet était mal né, parce que l'effet d'annonce avait préempté toute réflexion stratégique de fond. C'est une fois que le programme a été lancé que chaque pays a fait état de ses besoins et qu'une bonne idée de départ s'est progressivement transformée en difficulté, avec à la clé des retards à répétition, des surcoûts financiers et des spécifications insatisfaites. Or, une coopération, pour réussir, doit commencer par un accord explicite de tous sur la définition du cœur de programme. Une fois le but à atteindre par tous posé clairement, il devient facile de déterminer les conditions budgétaires dans lesquelles adviendra le bond technologique recherché. J'en tire une leçon simple et utile pour tout dirigeant : en matière opérationnelle, l'objectif doit l'emporter sur l'annonce, faute de quoi celle-ci risque de neutraliser l'effet recherché.

C'est forte de ce principe que la France doit exécuter le budget qu'elle consacre à l'innovation en matière de défense, soit 85 millions d'euros aujourd'hui, à comparer avec les 3,5 milliards de dollars de l'agence américaine DARPA. Mais elle doit y entraîner l'Europe, tant il est vrai qu'aucun pays à lui seul ne pourra financer une défense antimissiles ou un système de surveillance de l'espace.

Il est temps de changer de cap, sans tout casser évidemment, pour aller vers une France souveraine dans une Europe forte.

Pourquoi pas une école de paix ?

Pour cela, ne soyons pas de ceux qui divisent, mais de ceux qui rassemblent, qui fédèrent, qui dissipent les malentendus, apaisent les haines, résolvent les conflits. La paix est un bien si précieux qu'elle mérite d'être conservée, en famille, au travail et entre les nations. C'est pour elle que je n'ai cessé pendant dix ans de réclamer un budget de défense à la hauteur des enjeux.

Notre société, notre monde sont en proie à la division et à la violence morale, physique, verbale. Seule la force fait reculer la violence. Mais gagner une guerre ne signifie pas gagner la paix. Je l'ai vécu comme chef d'état-major. Les ingrédients de la paix sont subtils. Le premier est l'amour des autres, le second est le pardon. Dans nos organisations, combien de temps pourrait être économisé, si les gens cherchaient à se parler, à se comprendre, à se pardonner.

À chacun pourtant d'essayer de le faire, modestement et à sa place. Les résultats sont plutôt surprenants dans le bon sens. Hormis quelques individus qui considèrent que c'est une forme de lâcheté ou d'absence de courage, beaucoup sont désarmés par une telle attitude et acceptent le dialogue, qui est, comme chacun sait, le début du fil de la paix, par opposition au fil de l'épée. Nous, les militaires, savons le prix à payer pour la paix et les ravages de la guerre. C'est précisément pour cela que nous sommes des hommes et des femmes de paix, sans laxisme, sans faiblesse, sans démagogie, mais avec volontarisme et persévérance. Si la guerre n'est pas un état, nous savons que la paix, elle, en est un.

Parce que cette vérité m'a toujours guidé, j'ai accepté avec grand plaisir d'être le premier intervenant de la Fondation pour la paix, créée au printemps dernier par Jean-Pierre Raffarin, belle initiative qui mérite d'être soutenue. Que des gens différents par leurs nationalités, milieux sociaux, expériences, acceptent de parler de la paix est en soi une avancée. Les mots ont un sens et je me suis réjoui qu'Alain Juppé, alors ministre de la Défense, prenne la décision de redonner le nom de l'École de guerre en janvier 2011, plutôt que l'appellation de Collège interarmées de défense. Il faut appeler un chat un chat. Pourquoi d'ailleurs ne pas réfléchir à créer dans l'État une École de paix ?

Comment parler de la paix si on ne la pratique pas soi-même ?

L'unité et la paix passent aussi par la liberté de penser, d'agir et d'entreprendre. Cela suppose une grande initiative laissée aux équipes et une simplicité dans les relations entre les différents niveaux hiérarchiques.

Voilà pourquoi il faut redonner du pouvoir à l'initiative locale en passant d'un raisonnement comptable à une approche macroéconomique, qui intègre l'ensemble des surcoûts liés aux décisions uniquement financières. Par exemple, certains services publics, qui disparaissent de nos campagnes, encouragent l'exode rural et coûtent à l'État d'autres types de dépenses. Nous devons impérativement remettre de la vie dans nos territoires, et l'autorité administrative, aujourd'hui incompréhensible ou trop éloignée, doit retrouver une véritable lisibilité. Habiter à la campagne quand on est une personne âgée aujourd'hui est devenu très compliqué, à l'heure du numérique et des procédures automatisées.

La paix passe aussi par une maîtrise de la vie en commun et, dans sa dimension la plus sensible, par la place accordée à la vie spirituelle. Sur ce plan, les aumôneries militaires donnent un exemple de paix et de cohésion entre toutes les confessions. La guerre menée par les islamistes radicaux déstabilise nos sociétés dans leurs soubassements les plus intimes. Au-delà de la victoire sécuritaire, qui est un vrai défi national et international, il faudra aussi gagner la paix des cœurs, au risque de voir se propager dans nos organisations des difficultés croissantes. Ce sujet éminemment politique, parce que sociétal, doit être traité, sans botter en touche. Il y va aussi du calme de nos cités, de nos entreprises, de nos pays européens tout entiers. Le problème de l'islam radical devra être résolu, certes par la force, mais aussi par les musulmans eux-mêmes, premières victimes de cette idéologie nihiliste et destructrice. La laïcité, qui n'est pas une éradication du fait religieux, considéré comme l'« opium du peuple », mais le respect des croyances de chacun au sein d'une République apaisée, est pour cela notre meilleur rempart.

La paix commence par soi-même. Si vous êtes agressif, polémique, si vous confondez le volontarisme du chef avec l'agressivité et la pression, vous n'êtes pas un homme de paix. On ne peut pas parler de paix sans la pratiquer soi-même.

Tous les sondages d'opinion le disent. Les Français aspirent à l'unité. Peut-être parce qu'ils sentent que notre pays est en danger. C'est le besoin d'« union sacrée ». Peut-être aussi se rendent-ils compte des limites de ce paradoxe qui les voit exiger l'unité sans la réaliser, et la réforme sans la supporter.

L'intergénérationnel : une urgence

Nous devons être soucieux d'unir les générations, par le fil de l'histoire et le creuset national. L'unité, c'est aussi le mouvement qui rejoint les générations. Le compagnonnage est une excellente méthode pour que les plus anciens forment les plus jeunes. Les armées pratiquent cela avec bonheur. Nos anciens combattants parrainent souvent des jeunes recrues et leur apportent leur patrimoine de souvenirs. Les jeunes en échange leur redonnent de l'énergie et de la joie. Les uns apportent les racines, les autres fournissent la sève et déploient les branches. C'est le célèbre « ça suit », de génération en génération.

« C'est la cendre des morts qui créa la patrie. » Notre époque, parfois superficielle, ne sait pas toujours d'où elle vient. Dans les années 1920, on avait placé au bord des routes de l'Est de la France, là où les combats de la Première Guerre mondiale avaient été particulièrement rudes, des pancartes portant l'inscription : « Passants, ne vous écartez pas des routes. Le champ de bataille doit rester intact. Ne prenez rien. Chaque motte de terre recouvre une sépulture. Ne la profanez pas. » La paix a toujours un prix et nos anciens l'ont payé.

L'État, les collectivités locales et territoriales, les associations font de gros efforts pour entretenir la mémoire. Des projets concrets issus d'initiatives locales mériteraient d'être encouragés, en faisant cohabiter par exemple dans un lieu unique une maison de retraite, des centres associatifs, une école, une maison de santé. Le projet « Saint-Julien » que j'ai visité à Laval me semble emblématique de cet esprit dont notre pays a besoin pour permettre à toutes ses générations de s'y retrouver. Dans ce « complexe », où se trouveront un internat et une maison de retraite, les jeunes s'occuperont de leurs aînés, en même temps qu'ils recevront d'eux toute la richesse qu'ils ont accumulée au fil des années. Les associations recréeront du lien social entre des milieux différents au point parfois d'être devenus étrangers les uns pour les autres. Le pôle santé facilitera les rencontres entre les valides et les souffrants, en particulier autour des lieux de convivialité.

Ce projet est né lorsqu'une petite équipe de gens très différents sont tombés d'accord pour empêcher que l'ancien hôpital de Laval, laissé à l'abandon par l'État après la construction d'un nouvel édifice, ne devienne une friche. Une équipe s'est constituée et a convaincu la mairie de soutenir cette dynamique susceptible de relancer un quartier de la ville menacé par le déclin. Un lieu aussi symbolique revit donc grâce à des Français qui refusent d'accepter la fatalité et redécouvrent ensemble des possibilités qu'ils ne soupçonnaient peut-être pas. Mieux, on y retissera ce lien entre générations, du nouveau-né à l'aïeul, qui a fait la trame de l'histoire de notre pays. Un bar viendra même donner à l'ensemble l'éclat authentique de la convivialité – cet éclat dont j'ai toujours apprécié l'importance décisive dans les armées.

Face aux déserts médicaux, face aux difficultés de maintien de structures scolaires, notamment dans les milieux ruraux, face à la perte de convivialité, face aux difficultés liées à la fin de vie, la solution est l'intergénérationnel. Les personnes plus anciennes s'occupent des plus jeunes en leur transmettant leurs savoirs et leur expérience, tout en diffusant leur sagesse. Les jeunes se rendent utiles et redonnent ce qu'ils ont appris en se dévouant au service de leurs anciens, avec l'enthousiasme de leurs artères. Des lieux de rencontre développent le tissu social. La mixité et la diversité sociales produisent de la cohésion et de la richesse. Le tutorat fonctionne dans les deux sens. Le tout est de trouver des lieux suffisamment grands et chaleureux pour rassembler dans un même espace toutes ces opportunités. Voilà un beau programme interministériel. L'État se grandirait en aidant ces initiatives et ferait sans nul doute des économies dans la durée, à condition de quitter une approche budgétaire et comptable annuelle au profit d'une vision macro-économique globale et prospective.

La paix passe aussi par la transparence et la loyauté. Je ne cesse de le répéter tant l'esprit de cour se développe, telle la mauvaise herbe lors d'un printemps pluvieux. Pour que règnent la cohésion, l'unité et la paix, il faut moins de tristes faux-semblants, et davantage de ce bonheur inséparable, selon Périclès, de la liberté et du courage.

Chapitre 7

La vérité rend libre

« La vraie loyauté, c'est de dire la vérité. » Dans les faits, la maxime se révèle difficile à mettre en pratique. Pour l'exécutant, il est pourtant tellement plus facile de flatter son chef, plutôt que d'avoir le courage de lui dire ce qu'il pense ; et pour le chef, il est tellement plus confortable de faire mine de ne pas voir les imperfections, plutôt que de prendre le risque, en les signalant, de fâcher, de contrarier ou de blesser. Contrairement aux apparences, la franchise est donc une habileté – c'est même la meilleure d'entre elles ! L'autorité, qui se conforte dans la vérité, se dissout dans le mensonge.

Dans ces conditions, l'obéissance ne doit pas être comprise ni vécue comme un abandon du libre arbitre ou un sacrifice de la liberté, mais au contraire comme une occasion pour elle de se manifester. Obéir, c'est aussi conserver son libre arbitre et sacraliser sa liberté. Quelle que soit sa position au sein d'une organisation civile ou militaire, toute personne demeure responsable de ses choix et de la façon dont elle conduit sa vie. La liberté est bien cette exigence démocratique qui est essentiellement génératrice d'ordre et non de désordre. Pour chacun, elle doit être un principe de vie. Trop de gens aujourd'hui me semblent conditionnés par l'air du temps, l'effet de mode, le politiquement correct. Je crois au génie français, qui passe par la capacité de notre pays à imaginer, à créer, à utiliser sa riche histoire pour la mettre au service de son avenir.

Le chef doit chérir sa liberté. Son inspiration, son charisme, son courage lui doivent tout. En aucun cas, il ne saurait être entravé intellectuellement. Il importe, à l'épreuve du pouvoir (et quel que soit ce pouvoir), de rester un esprit libre. C'est cette qualité qui facilitera les choix et encouragera à prendre les décisions les plus difficiles. « Choisir, c'est renoncer », disait André Gide. Combien de décisions se prennent par défaut, par absence de courage, quand le fruit tombe tout seul de l'arbre, déjà rongé à moitié par les vers, alors qu'il aurait pu être cueilli tout juste mûr, juteux à souhait ?

Commander, c'est précisément refuser la facilité et la fatalité du non-choix. C'est prendre le chemin le plus rapide, au carrefour décisif, au moment opportun. On connaît bien cela dans l'armée en opération.

Le chef est payé avant tout pour décider du bon endroit et du bon moment pour attaquer l'ennemi choisi – pour atteindre ce qu'on appelle, en termes militaires, l'« effet majeur » qu'il aura fixé à ses hommes.

Je vois dans l'obsession actuelle pour la repentance une manifestation de cette absence de liberté. Là encore, la facilité et la fatalité semblent préempter l'avenir en revenant sans cesse sur le passé. Comment mener une vie heureuse, libre et digne dans la plainte compulsive, la lamentation permanente, le regret éternel ? Cette médiocrité maladive qui projette son malheur sur le monde est une erreur. Elle fausse le diagnostic et paralyse l'action. En lui tournant le dos, un bon chef ne récuse ni les fautes du passé ni les imperfections du présent. Bien au contraire, il cherche en permanence à tirer les leçons des premières, à corriger les secondes. Les grandes victoires se construisent souvent dans les défaites. À titre plus personnel, j'ai remarqué que l'on se grandit dans l'analyse et la gestion de ses propres faiblesses. Quand on va à l'étranger, on se rend compte combien la France est considérée comme un grand pays, par son histoire et sa géographie, sa culture et ses réalisations. La France a une vocation singulière. Quand on rentre au pays, on a le sentiment inverse : la France a tendance à se dévaloriser, se culpabiliser, et se lamenter. N'ayant pas conscience de sa grandeur, elle n'a pas vraiment confiance en elle. Pour avoir été chef d'état-major de la première armée européenne et de la seconde armée occidentale en opérations, je ne me lasse pas de dire et de redire à tous les Français que je rencontre : la grandeur du pays est là, à nous de nous l'approprier !

Dans l'exercice de mon nouveau métier, je mesure, au gré de mes rencontres avec des chefs d'entreprise, combien l'on est plus efficace quand on construit en s'appuyant sur la vérité objective de ses forces et de ses faiblesses, plutôt que sur le déni ou le dénigrement. Si la victoire est collective et doit être célébrée comme telle, l'échec ne doit jamais rester solitaire. Il doit faire l'objet d'une analyse partagée par tous pour éclairer l'avenir. C'est à ce prix que le cercle vicieux de la défaite sera brisé et pourra donner naissance au cercle vertueux de la victoire.

C'est exactement ce qu'a fait Didier Deschamps en tirant les leçons de la « mutinerie » de Knysna, cette désobéissance collective. Il a créé les conditions d'une cohésion renouvelée. Une grande équipe ne sélectionne pas forcément les meilleurs joueurs sur le plan technique. Elle donne leur chance à ceux qui sont capables de jouer (et, pour cela, de vivre) ensemble. Elle trouve dans le creuset du collectif l'énergie de la victoire. L'expérience de la France lors de la Coupe du monde de 2010 tient tout entière dans la maxime du maréchal Foch : « Accepter l'idée d'une défaite, c'est être vaincu. » Celle de notre équipe lors de sa magnifique victoire en Russie en 2018 est parfaitement résumée par l'intuition de Vauvenargues selon laquelle « le sentiment de nos forces les augmente ». Prenons exemple sur cette équipe qui a grandi collectivement dans la conscience de son talent, et qui l'a emporté.

La vérité conditionne la fidélité

Il est temps de prôner dans nos écoles le retour aux valeurs fondamentales sur lesquelles une société peut s'appuyer pour construire. La première est la fidélité. Comment être fidèle à celui qui divise pour convaincre, à celui qui agresse, qui polémique ? La fidélité est la stabilité mise à l'épreuve du temps. Elle engendre la détermination. Elle éclate dans la magnifique devise de la Légion étrangère « honneur et fidélité ».

De fait, il est temps de remettre la fidélité à l'honneur. Si la volonté est là, ce sera d'autant plus rapide que la fidélité est une valeur contagieuse. Quand le chef est attaché à ses collaborateurs, ils le savent, le sentent et le vivent. Le ciment de la cohésion prend et l'efficacité décuple. On ne perd pas une minute à critiquer son chef ou le système. On bosse, on produit, on avance dans la bonne humeur et le dévouement. Tout part de là. Avant d'être le résultat d'un plan d'action, l'efficience est le fruit d'un état d'esprit.

Le premier indicateur pour une organisation tient au moral des personnes : à leur motivation, à leur envie de venir travailler le matin. Tout le reste passe après et vient comme par surcroît. J'ai toujours pensé que l'essentiel résidait dans la qualité des relations humaines – dans ce miroir qui met face à face la fidélité *du* chef et la fidélité *au* chef. J'entends parfois des dirigeants dire, en parlant de leurs subordonnés : « C'est leur problème. Ils sont là pour produire et ils sont libres. S'ils veulent partir, ils le peuvent. » Quel désastre que ce type de phrases, quand en réalité beaucoup de travailleurs sont en liberté conditionnelle, car ils savent bien qu'il leur serait très difficile de retrouver un emploi. Certes, ils ne vont donc pas partir – mais seront-ils « présents » pour autant ?

Le danger est de considérer que le savoir-être va de soi, alors même que l'exercice de l'autorité s'apprend, que le charisme se cultive, et que l'amour des autres s'exerce. La sincérité ne s'apprend pas : elle se vit. On peut apprendre à mieux communiquer, mais pas à mieux « sincériser ». Une personne est authentique ou ne l'est pas. Il n'y a pas de faux-semblant possible, même si, évidemment, chacun peut toujours progresser, y compris dans ce domaine.

Aujourd'hui, les entreprises cherchent à donner du sens pour « motiver les troupes » et « fidéliser les clients ». Mais le sens ne se fabrique pas au terme de *process* compliqués, pensés par les élites. Il se découvre au quotidien par la base, au travers d'un certain état d'esprit. Il n'est pas un secret conçu par quelques-uns. Il est une évidence partagée par tous. Il est comme un *cloud* pour les systèmes d'information : tout à la fois invisible et bien réel. Pour le trouver, un seul mot suffit : la sincérité.

La sincérité convainc

Je suis de plus en plus frappé par l'hyper-présence de la communication, à tel point qu'elle tient souvent lieu de management. La vie pourtant n'est pas une comédie que l'on met en scène, ni les relations humaines un conte dans lequel les dirigeants ensorcellent leurs personnels pour mieux les amener là où ils le souhaitent, comme le bétail à la traite. La sincérité est une qualité qui ne trompe pas. On voit parfois des entreprises dans lesquelles les ouvriers se battent pour le maintien de leur patron menacé de licenciement par l'échelon supérieur. Quel bonheur !

Nous atteignons les limites de la sincérité quand la communication l'emporte sur la stratégie, quand l'effet final recherché s'éclipse devant le gain du court terme, quand le contenant prime le contenu, quand ceux qui communiquent prennent le pas sur ceux qui conçoivent, agissent ou réalisent. Alors, la séduction triomphe de la réflexion et de l'action. Le calcul relègue au second plan les grands desseins. Tout devient petit, superficiel et consommable. C'est la société du prêt-à-jeter, au sein de laquelle chacun a sa vérité – ou plutôt son mensonge.

C'est tout le contraire de ce que l'on apprend à connaître dans l'épreuve et la difficulté. Souvenons-nous de la devise magnifique inscrite sur le monument du plateau des Glières, haut lieu de la Résistance française lors de la Seconde Guerre mondiale : « Vivre libre ou mourir. » Mais n'est pas Tom Morel qui veut.

Le chef est prévisible parce qu'il est transparent à sa mission. Le subordonné est efficace parce qu'il est loyal à son chef. L'un et l'autre sont libres, dès lors que la partie qu'ils jouent ensemble (et non l'un contre l'autre) n'est pas un billard à trois bandes où tous les coups sont permis, où le langage est double quand il n'est pas triple, et où la vérité est emprisonnée dans les non-dits.

Mon expérience militaire a été sur ce plan très intéressante, en particulier au cours des dix dernières années, lorsque j'ai dû m'adapter au nouvel univers dans
lequel j'évoluais au contact des autorités politiques.
Dans les armées, tout est clair. Un ordre se donne et se
reçoit au premier degré. Lorsque vous parlez, les gens
vous écoutent dans la confiance et la vérité. À aucun
moment, ils n'imaginent que vous dites cela pour qu'ils
interprètent ceci. Cela tient peut-être à ce que la finalité
est trop sérieuse pour tolérer une équivoque quelconque.
Nous sommes dans la franchise et la vérité et celui qui
navigue en tirant des bords est vite repéré ! A contrario, dans les sphères politiques, tout est plus subtil, et
la vérité n'est pas toujours bonne à dire, en tout cas
« brute de fonderie ». La pensée est souvent complexe,
à l'image des sujets qu'il faut traiter. Voilà pourquoi je
pense que la vie militaire est riche d'enseignements pour
toute personne ayant à exercer l'autorité.

L'esprit de cour a toujours existé. Les talents en la
matière ne manquent pas, surtout quand on monte
dans la hiérarchie et que l'on se rapproche de l'infra-
périphérique parisien. La sincérité convainc, mais
parfois l'hypocrisie vainc. Tout est une question de
préfixe ! Plus le chef est autoritaire, plus l'esprit de
cour se développe ; plus il est directif et monopolise
le pouvoir, plus il rend la flatterie possible. Seul un

chef qui délègue se protège de la flatterie en multi-
pliant les canaux et les sources d'information.

Dire la vérité nécessite du caractère

Une autre qualité, parfois trop ignorée dans les
milieux dirigeants, me semble essentielle : le caractère.
Dans la fatigue, le stress des soucis, mais aussi dans les
luttes administratives, budgétaires, ou la compétition
du marché, le chef doit faire preuve de caractère. En
toutes circonstances, il doit affronter l'imprévu et le
dominer ! Il lui faut pour cela de la volonté, de l'énergie, de la ténacité, de l'exemplarité et de la maîtrise de
soi. Tous ces éléments constitueront sa force de caractère, et sa force de conviction. La valeur d'une troupe
dépend pour une large part de celui qui la commande,
et pour qui le caractère sera l'antichambre du courage.

Avoir du caractère, c'est aussi savoir garder son esprit
libre et indépendant : c'est diriger sans chercher de sa-
tisfaction immédiate, ni même celle, légitime pourtant,
d'être aimé. Cette rigueur n'est pas rigidité et n'a rien
à voir avec les tempéraments caractériels de certains
chefs qui minent la cohésion et le respect. Il faut donc
se garder de confondre « avoir du caractère » et « être
caractériel ». Je le disais souvent comme chef d'état-
major : « Les nombreux courtisans, les flatteurs et les

obséquieux, les obsédés du classement et les fayots trop propres sur eux pour être honnêtes, circulez ! »

Avoir du caractère, c'est enfin savoir décider et braver le spectre de l'indécision, qui prélude toujours aux effondrements, par la défaite ou le pourrissement. « Seule l'inaction est infamante », m'a-t-on appris à Saumur comme sous-lieutenant. J'ai essayé de ne jamais l'oublier et de ne pas tomber dans le piège décrit dans cette belle phrase tirée de la pièce de théâtre *L'Irrésolu*, écrite en 1713 : « Mais, pour avoir trop jeune acquis trop de lumières, il est irrésolu sur toutes les matières. »

Un chef doit savoir pour cela laisser libre cours à son inspiration. La première impression est souvent la bonne. Je l'ai vérifié maintes fois. Trop de calcul et de raison étouffe une intuition toujours intéressante, souvent précieuse, et parfois salutaire. Et ce qui vaut pour la sienne propre vaut pour celle de ses subordonnés, qu'il lui faut respecter quand elle s'exprime, puis bien souvent intégrer. S'il n'est pas suffisamment à l'écoute de ses subordonnés, un chef ne parviendra pas à leur communiquer sa vision, et la manœuvre entreprise, si brillamment conçue soit-elle, risquera d'échouer. Pendant la guerre de Sécession américaine, les plus grosses pertes confédérées à la bataille de Gettysburg sont imputables à un manque de communication initiale entre le général Lee et l'un de ses subordonnés, le général Longstreet. Le premier, galvanisé par la série de victoires qu'il venait de remporter, avait une intuition tactique dont il était certain. Le second l'avait alerté à raison sur la force de la position défensive de l'adversaire. L'assaut est finalement mené par obéissance et non par adhésion, et face à des forces effectivement supérieures, il échoue. Là où l'instinct du chef et le bon sens du subordonné auraient pu se rencontrer et se renforcer, ils se sont neutralisés.

L'intelligence de l'homme d'action est l'instinct

J'ai toujours eu la conviction que l'instinct et le bon sens devaient avoir toute leur place et pas seulement dans le métier des armes. Il faut bien reconnaître que l'on éprouve – *instinctivement* –, à l'égard de l'instinct, une forme de méfiance. On lui associe, automatiquement, certaines notions réductrices : instinct de conservation, instinct de survie, instinct grégaire… L'instinct nous rapproche – pense-t-on – du monde animal. Il nous dicterait réactions et comportements. Il nous enfermerait dans la sphère étriquée de l'« inné ». Il nous laisserait obéir à une liberté mal placée.

Dans ces conditions, quelles peuvent bien être les vertus de l'instinct ? Combiné à l'expérience, il ouvre sur le bon sens. Celui que l'on désigne, non sans respect, comme le « bon sens paysan » : ancré dans le concret et la réalité du terrain. Le bon sens protège des élucubrations. Il fait percevoir « ce qui est », sans artifice, en toute simplicité. Il évite bien des erreurs grossières et conduit à la décision pertinente. La première intention est souvent la bonne.

Combiné à l'intelligence, l'instinct engendre aussi l'intuition. Par l'intelligence, nous saisissons l'abstrait, le fixe, le théorique. C'est indispensable, mais ce n'est pas suffisant. Dans la bataille militaire, politique, économique, culturelle, dans le « brouillard de la guerre », où tout est incertain, insaisissable, mouvant et fuyant, l'instinct apporte un précieux concours. Il permet le « flair », le « coup d'œil », la saisie, au bon moment, d'une opportunité fugace, qui ne se représentera plus. Derrière le « coup de génie », il y a bien souvent l'intuition. La chance se mérite ! « Elle est la forme la plus élaborée de la compétence », disait Napoléon.

Enrichi par le « drill » (cet entraînement spécifique pour savoir réagir de façon réflexe en situation de stress extrême), l'instinct permet le geste parfait. Parlant du champ de bataille, le maréchal Foch disait : « Pour y faire un peu, il faut savoir beaucoup et bien. » La vertu du drill, c'est de parvenir à donner à « l'acquis » les caractéristiques de « l'inné » : la précision et la perfection ; celles de l'alvéole de l'abeille ; celles de la toile de l'araignée. La pédagogie militaire, fondée sur la répétition patiente et régulière, nourrit cette même ambition de précision et de perfection instinctives.

L'instinct n'est en effet une forme de liberté que lorsqu'il est contrôlé. Le stratège est autant un homme d'intelligence que d'instinct – il est un homme qui a développé *l'intelligence de son instinct*. Cela se vérifie particulièrement en opérations. Confronté à des informations nombreuses et parfois contradictoires, qui vont du rapport de forces aux conditions du terrain en passant par la météo et l'environnement plus large, le chef doit trancher. D'une somme d'équations à plusieurs inconnues, il doit tirer quelques décisions claires : on y va ; par ce chemin ; de cette manière ; avec cet appui ; avec cette couverture ; et avec ce plan de repli si les choses tournent mal.

Ces décisions intègrent évidemment la question du risque, qui est à la fois objective et subjective. Nous sommes là au point précis où le chef justifie sa fonction, son rôle. Son discernement ne relève ni de la seule raison, ni de la seule intuition, mais d'une alchimie mystérieuse capable de les mettre en ordre. Pour lancer une opération évidemment, mais également pour la différer ou même l'annuler. Je me souviens d'avoir, à plusieurs reprises, reporté d'instinct un engagement que toutes les conditions objectives m'encourageaient à déclencher immédiatement. Et à l'inverse d'avoir engagé des forces en dépit de facteurs clairement défavorables. Je pense en particulier à une opération en Afghanistan, au nord de Surobi. Des semaines durant, nous préparons une manœuvre de grande ampleur pour prendre le contrôle de la vallée d'Uzbin. Au cours de la mise en place, un de nos engins fait face à une attaque à l'IED (engin explosif improvisé). Nous sommes frappés au cœur de notre dispositif et alors même que nous nous apprêtions à avancer. Conseillé et éclairé par mon état-major, j'intègre ce risque. Mon intuition est de poursuivre. Je donne les ordres en conséquence et nous prenons le contrôle de la vallée en quelques jours. Ma raison m'avait constamment informé, et mon instinct ne m'avait pas trompé. J'ai su modestement l'écouter et mes subordonnés m'y ont aidé.

Le chef n'a pas toujours raison

Parfois, l'instinct peut avoir tort et mener dans une impasse, là où l'on croyait aller vers la vérité. Et c'est là que le cercle vertueux du courage et de la liberté permet aux subordonnés de suggérer d'autres solutions, d'arrêter la prise de décision, tant qu'il est encore temps.

Le maréchal de Lattre disait souvent que l'on jugeait un chef *à la qualité de son entourage*. Cette remarque prend tout son sens dans un monde où tout va plus vite et où les techniques et les problématiques se renouvellent sans cesse, où les équipes doivent décider rapidement et à leur niveau. Dans cette improvisation permanente, rien n'est possible sans une totale confiance, c'est-à-dire une entière et réciproque franchise. Comme l'écrit justement Vauvenargues, « l'extrême défiance n'est pas moins nuisible que son contraire. La plupart des hommes deviennent inutiles à celui qui ne veut pas risquer d'être trompé ». Tout l'enjeu pour un dirigeant est bien, au contraire, que *tous les hommes lui soient utiles.*

Beaucoup de chefs s'entourent de gens dévoués, disciplinés, voire serviles, plutôt que de gens de caractère, pas faciles à commander. Un vrai chef ne doit pas avoir peur de ses subordonnés, car ce sont eux qui font avancer les choses. Les gens vraiment talentueux ont généralement du caractère et les courtisans sont souvent médiocres. L'art du chef est alors d'écouter avant de décider et d'entendre si nécessaire pour corriger avant de prendre la mauvaise piste.

Je ne suis pas un modèle, mais combien de fois ai-je dû infléchir telle ou telle décision, après avoir pris connaissance d'avis différents chez mes subordonnés ! Combien de fois ai-je enrichi un projet en écoutant les suggestions de la base ! Combien de fois ai-je lancé un projet en reprenant une idée découverte lors d'une visite sur le terrain ! Avec ses subordonnés, un chef doit donc faire sien l'appel de Marc Bloch dans *L'Étrange Défaite* : « Que chacun dise franchement ce qu'il a à dire : la vérité naîtra de ces sincérités convergentes. »

Dans l'exercice de l'autorité et dans la course d'orientation, il y a un point commun : celui qui gagne n'est pas celui qui trouve toujours le bon azimut ; c'est celui qui, lorsqu'il se trompe, s'en aperçoit rapidement, prend sa boussole et modifie son cap dans la bonne direction. Cet enseignement est du vécu !

La vérité rend libre, à la condition qu'elle soit la vérité et non son reflet déformé au miroir de la complaisance, de la flatterie ou encore de la peur. Là encore, le point d'équilibre se situe entre les chefs hésitants qui écoutent et ne peuvent pas décider et les fonceurs qui décident sans écouter. Le chef doit être obéi, ce qui ne veut pas dire qu'il a toujours raison. S'il n'écoute pas et surtout s'il n'entend pas, il y a fort à parier qu'il ait rapidement tort.

La première liberté passe par un agenda maîtrisé

Encore une fois, avoir raison n'est pas si difficile, dès lors que l'on s'astreint à quelques principes

187

simples et très pragmatiques. Ces principes, j'ai essayé à ma façon de les appliquer. J'en mesurais insuffisamment le prix avant de découvrir le succès qu'ils rencontrent, lorsque je les partage avec des comités de direction d'entreprise ou de simples citoyens.

Le premier a trait à la gestion du temps. L'agenda, c'est le Famas du dirigeant. On ne se sépare jamais de son arme. À moins d'en perdre la maîtrise, il ne peut pas la déléguer totalement à son assistant ou à son second. Une réunion agenda est toujours une réunion tactique, voire stratégique, qui permet de hiérarchiser les priorités, de se ménager du temps libre. Elle est à la fois une porte et un verrou.

À la question : « Mon général, quelle a été votre principale difficulté lorsque vous étiez chef d'état-major des armées ? », je réponds toujours : « La gestion de mon agenda. »

Toutes les semaines, généralement le vendredi après-midi, j'essayais d'y consacrer une réunion, avec la volonté d'organiser le programme des six semaines à venir. Je veillais à l'équilibre général de la période, en maintenant des visites sur le terrain (au moins une par semaine), ainsi que des contacts directs avec toutes les catégories de personnels et en imposant des respirations entre les rendez-vous pour des briefings et des débriefings avec mon chef de cabinet. Je veillais aussi à inscrire des séances de sport pour garder la forme et à maintenir des horaires compatibles avec une vie de famille équilibrée (ce pour le plus grand bonheur de mes collaborateurs, qui pouvaient ainsi rentrer chez eux à des heures décentes). Il est difficile de rester humain au rythme d'un agenda inhumain. Le temps est donc, pour un dirigeant, la première garantie d'humanité.

Cette humanité passe aussi par de véritables entretiens en tête-à-tête. En la matière, consacrer moins de trente minutes à une rencontre me semble ridicule, si vous voulez avoir cinq minutes avant et après et vingt effectives pour dialoguer. Ce temps minimal fait partie de la politesse élémentaire. Il m'est moi-même arrivé d'être reçu entre deux portes moins de cinq minutes. Quand on en arrive là, c'est inquiétant sur la maîtrise du management de base. Mieux vaut annuler purement et simplement.

Et ce qui vaut pour un chef d'état-major vaut pour tous les responsables, à tous les niveaux. Commander, c'est prévoir. Cette phrase célèbre prend toute sa signification quand on parle d'agenda. Comment peut-on s'en sortir si, déjà plusieurs semaines avant, l'emploi du temps est surbooké ?

Il faut garder des marges de manœuvre pour être capable, au pied levé, d'intégrer une urgence, un événement imprévu, une contrainte nouvelle, un changement quelconque.

Il faut aussi définir des priorités et s'y tenir. Ces axes doivent être connus et clairement affichés, avec des règles édictées et respectées. Ne prenons qu'un exemple : les départs. Il est fondamental de veiller à ce qu'un collaborateur soit reçu quand il quitte le service. Mais cela concerne aussi les règles d'organisation : qui préside tel niveau de comité de pilotage ? Avec quels participants ? À quelle fréquence ? Ne négligeons pas les détails où le diable aime se nicher pour paver le chemin des défaites.

Il faut ensuite accepter, lorsque l'on est responsable, de ne pas chercher à tout voir, et à tout savoir – quant à y parvenir, c'est évidemment impossible. Chacun est responsable à son niveau. Beaucoup parlent de la subsidiarité. Peu la pratiquent. Il faut déléguer, responsabiliser. La concentration des pouvoirs, la centralisation des prises de décisions amènent à l'engorgement du système et à la déresponsabilisation des échelons subalternes. La richesse est chez les autres, et ceux qui pensent être les seuls capables de faire telle ou telle tâche ont peut-être raison ponctuellement, mais, globalement, ils ont tort, car, à l'expérience, j'ai pu mesurer la richesse du travail en commun. Dès lors que l'on fait confiance, on est rarement déçu. Et quel temps en revanche on gagne en déléguant !

De cette manière, chaque semaine peut conserver une plage blanche, quelles que soient les circonstances. Là où il y a une volonté, s'ouvre un chemin. C'est le moment de se démontrer à soi-même et à ses collaborateurs qu'il y a un pilote dans l'avion, et qu'il n'a pas la « tête dans le guidon », mais garde la maîtrise des événements. Cela permet de réfléchir à la stratégie, aux ressources humaines, aux grands sujets du moment et de voir plus loin. Cela permet aussi de mener des entretiens utiles pour déminer certains sujets sensibles, sans les laisser pourrir. Pour moi, c'était le mardi, la veille du conseil restreint de sécurité et de défense du mercredi matin à l'Élysée. La journée était consacrée pour partie à la préparation du lendemain, pour partie à cette plage blanche « sanctuarisée ». Là encore, je ne m'érige pas en modèle, chacun gérant en fonction de ses contraintes et de son tempérament. Je veux simplement, par retour d'expérience, souligner que la maîtrise de l'agenda permet seule d'être à la fois à la hauteur de ses responsabilités et en prise avec la réalité.

Pour ce faire, il faut combattre les organisateurs tyranniques de l'agenda, ceux qui vous le remplissent dès que vous commencez à sortir la tête de l'eau, ceux qui vivent au bureau, parce qu'ils n'ont rien d'autre dans la vie, ceux qui vont de réunion en réunion, drogués par les soucis et les sujets à traiter. L'agenda ne doit être accessible qu'à une ou deux personnes au plus, pour protéger les chefs et éviter que les courtisans n'affolent la machine.

Préserver sa liberté

Évidemment, la principale pollution pour l'agenda est la « réunionnite », cette manie bien française. Une réunion ne vaut que si elle est préparée, avec un ordre du jour dûment partagé en amont et envoyé aux participants suffisamment tôt pour qu'ils aient le temps de le travailler point par point, en particulier pour les sujets qui nécessitent une décision. Si la réunion n'est qu'un point de situation, elle peut être supprimée et remplacée par un document écrit partagé. De cette manière, les hommes et l'organisation gagneront du temps.

Dans la conduite de la réunion, chaque participant doit intervenir et le président de séance doit être ferme aussi bien pour faire taire les bavards que pour faire parler les muets. Il anime, dirige, suscite, rassemble et décide. Si la réunion se contente de reformuler la question ou la problématique, elle a été inutile. Si la réunion aboutit à créer des groupes de travail, elle est fortement suspecte de dilapider les bonnes énergies pour nourrir la technostructure. Si elle décide d'une expérimentation, cette dernière doit être clairement détaillée avec une échéance de court terme ; sinon, cela signifie que c'est une sorte de prétexte pour repousser la décision.

Si la réunion n'aboutit à aucune autre décision explicite que la fixation d'une nouvelle date de réunion (comme je l'ai vu parfois en état-major ou dans certaines entreprises), cela signifie soit qu'elle était inutile au départ, soit qu'elle n'a pas rempli sa fonction. Quant à la rédaction du procès-verbal de la réunion, elle est obligatoire sous huitaine, pour avancer dans un bon tempo. Elle doit être synthétique en ce qui concerne les débats et explicite en ce qui concerne les décisions. Quand je lisais parfois certains « bleus » de réunions à Matignon (le papier des comptes rendus de réunion de Matignon est de couleur bleue), je me disais que l'esprit de synthèse était perfectible au plus haut niveau de l'État !

Une réunion a vocation à trancher là où les subordonnés, avec leur compétence et leur bonne volonté, en sont concrètement incapables. Elle intervient quand il n'est pas suffisant de parler aux uns puis aux autres pour discerner le bien commun dont ils sont chacun à leur manière dépositaires. Elle permet de statuer, sans faire cas des personnes, sur un sujet d'intérêt général. En suivant strictement ces critères, on prend immédiatement conscience que les sujets nécessitant une réunion présidée par le chef ne sont pas si nombreux qu'on imagine. J'ai pu l'observer dans les armées et je le constate tous les jours dans le monde de l'entreprise : la majorité des réunions sont parfaitement dispensables, quand elles ne sont pas inutiles.

Pour y voir plus clair, il est nécessaire de distinguer les réunions d'informations des réunions de décisions. Les premières ont vocation à se tenir en petit comité en présence des meilleurs spécialistes pour améliorer la compréhension d'un sujet préalablement à une décision. Les deuxièmes visent à faire advenir une décision nette, compréhensible et partagée. Elles sont trop souvent utilisées par les irrésolus pour diluer leur responsabilité en formulant le problème de façon à ce qu'il ne puisse pas être dénoué, ni par eux ni par personne. Elles donnent alors naissance à des compromis boiteux qui président à l'enlisement dans le meilleur des cas, et dans le pire des cas à la catastrophe pure et simple. Quant à la troisième catégorie de réunions, celle dite de *brainstorming*, elle n'a d'utilité qu'au compte-gouttes, si le chef prend le temps de rencontrer les personnes sur le terrain au quotidien.

Cette théorie ou plutôt cette pratique de la réunion, je l'ai expliquée à mes grands subordonnés pour qu'ils soient vigilants. Le résultat s'est aussitôt fait sentir : moins de réunions, et plus de décisions.

Mieux communiquer pour faire passer la vérité

Dans le même esprit, la communication interne suppose que le message à transmettre soit clair et compris de tous : quelle vision, quel cap, quel projet, quel plan stratégique, quelle analyse des risques ? Parfois, les communicants s'efforcent de faire passer un message qu'ils ne comprennent pas bien eux-mêmes à des gens non concernés. Pour éviter cet écueil, il faut communiquer comme on tire : en prenant le temps de viser. Faute de quoi, toute communication est une dilapidation de ressources.

Tout cela est d'autant plus décisif que la journée d'un dirigeant est émaillée de nombreux moments de rencontres et de communication qui entretiennent l'efficacité de l'équipe, de l'entreprise, de l'entité.

Combien de pertes de temps seraient évitées si les personnes concernées par tel ou tel sujet se parlaient avant que la situation ne s'envenime ! Une conversation évite bien souvent une réunion. Il peut y avoir du bavardage, c'est vrai, mais souvent ce sont ces moments d'échange et de partage qui construisent les avancées et ébauchent les solutions, y compris dans les situations les plus tendues.

Comme chef d'état-major, je passais beaucoup de temps à recevoir, discuter, échanger, visiter. À la fin de chaque journée, je faisais dans ma voiture, sur le trajet du retour, un bilan intérieur pour savoir avec qui j'avais parlé dans la journée, combien de temps j'avais consacré aux autres, ce qu'ils m'avaient dit et ce que je devais en faire. Cet exercice très utile m'amenait parfois à modifier mon agenda des jours à venir pour tenir compte de ce qui m'avait été confié ou pour accentuer ma présence auprès des subordonnés quand je les avais sentis délaissés. « Toute autorité est un service. » Comment être au service des autres si on ne communique pas avec eux ? La première des communications s'exerce en interne, alors que trop souvent les entourages des dirigeants privilégient la communication externe, flatteuse pour les ego, au détriment de la proximité, qui seule est essentielle.

Chapitre 8

Faciliter la rencontre

« Ici, vous savez, on est loin de tout ! » Ces derniers mois, j'ai entendu cette réflexion partout dans nos territoires. Même à Paris, parfois, on a le sentiment que tout nous échappe, qu'il est difficile de trouver un responsable. Combien de courriers dans nos boîtes aux lettres nous arrivent paraphés d'une signature anonyme ou impersonnelle : le syndic, le comité… C'est de plus en plus souvent quelque chose et de moins en moins souvent quelqu'un qui nous écrit. L'autorité individuelle tend à s'éloigner, parfois même jusqu'à disparaître, laissant la place à la machine folle de l'irresponsabilité collective. Nous vivons donc au cœur d'un paradoxe : plus les gens se sentent seuls et moins ils osent décider seuls. Le pouvoir se dilue dans un nuage évanescent de groupes de travail, de comités et de rapports d'audit collectifs. Un problème génère un rapport, qui lui-même suscite des études complémentaires et une expérimentation, toute la procédure camouflant souvent la peur de décider directement. Si l'on continue, il y aura bientôt plus de chronométreurs que de coureurs, d'arbitres que de joueurs, de conseilleurs que d'acteurs. Clemenceau disait déjà : « Si vous voulez enterrer un problème, nommez une commission. » Ne vivons-nous pas dans un cimetière dont chaque tombe est un rapport ?

En réalité, le pouvoir semble s'éloigner de ceux-là mêmes qu'il prétend servir et qui sont les premiers concernés, mais qui se sentent ainsi de plus en plus ignorés. La rencontre devient rare entre ceux qui décident et ceux qui mettent en œuvre. Les dirigeants aujourd'hui, d'une certaine manière, exercent leurs responsabilités sous de multiples contraintes décourageantes. Ils se mettent en posture de survie, en attendant meilleure fortune. Combien de patrons de PME me le disent régulièrement : « Tout est fait pour nous étouffer de contraintes. Du coup, on se ne développe pas. On attend des jours meilleurs. »

La mondialisation qui complexifie

La première d'entre ces contraintes est l'élargissement de l'espace. La mondialisation, parfois érigée en idéologie, règne et prévaut d'abord au cœur du quotidien ! Où que l'on soit et quoi que l'on fasse aujourd'hui, la dimension internationale est omni-présente. Dans ma fonction de chef d'état-major des armées, elle mobilisait en moyenne 25 % à 30 % de mon temps. Rares aujourd'hui sont les dirigeants qui peuvent s'en abstraire. On parle anglais, par plaisir ou par obligation, et les voyages font partie de la vie de beaucoup de responsables. Les télécommuni-cations ont fait bien des progrès. C'est là une des raisons majeures de la complexification du manage-ment moderne.

Par voie de conséquence, l'interdépendance est de-venue une règle. Là aussi, il faut s'en accommoder. Ce peut être regrettable, mais certainement pas contes-table. Cette coopération internationale répond aussi à la complexification des marchés, qui mobilisent des acteurs toujours plus nombreux. Ce qui auparavant se réglait par un coup de fil nécessite aujourd'hui de multiples réunions de concertation. Et, a contrario, un coup de fil peut se savoir instantanément à l'autre bout du monde, prenant une résonance imprévue et immaîtrisable. Rien n'est simple. Plus que jamais, gouverner, c'est s'efforcer de simplifier la complexité.

Cette mondialisation « subie » encourage de facto une économie de marché débridée, où les règles font souvent abstraction de ce qui devrait constituer le

199

cœur de toute décision : l'Homme. Le libéralisme le plus extrême peut, si l'on n'y prend garde, générer un enrichissement des marchés, sans le moindre bénéfice pour les citoyens. Philippe de Woot, un pionnier dans la responsabilité sociétale des entreprises, a écrit une vingtaine de livres, dans lesquels on retrouve sa vision d'une économie capable de donner la place centrale à l'humain. « Comment pouvons-nous aujourd'hui laisser la finance et la spéculation dominer l'économie réelle, qui est le vrai lieu de la création du progrès matériel et la source de sa légitimité sociétale ? » écrivait-il à juste raison. Le culte d'une croissance érigée en source du bonheur est un mythe dangereux, si l'on ne prend pas garde à ses conséquences, parfois dévastatrices, en termes sociaux ou écologiques. Et l'arrivée du président Trump ne fait qu'accélérer cette dérive, en brisant un certain nombre de règles commerciales, qui apportaient un minimum vital de régulation dans ces pratiques.

**Richesse et pauvreté
qui accroissent les tensions**

Sur le plan international, la cohabitation d'une grande richesse et de l'extrême pauvreté illustre les dangers de ce libéralisme et de cet « économisme » idéologiques, qui ne peuvent en réalité qu'amener à des déstabilisations, au moins régionales, elles-mêmes génératrices de difficultés sociétales. Cette mondialisation accroît en fait les disparités et l'injustice sociale. Elle nous éloigne de ce qui devrait être notre effet majeur : le bien commun. Elle prône trop souvent une vision utilitariste de l'Homme.

De la même façon, à l'intérieur des pays, les disparités sociales nous éloignent de la justice. Comment accepter l'écart de salaires de 1 à 300 entre certains PDG de grands groupes internationaux et leurs ouvriers ? Dans l'armée, l'écart entre le militaire du rang tout juste incorporé et le chef d'état-major des armées est de 1 à 8 – un écart qui permet de faire vivre une authentique fraternité d'armes.

Il est temps sur ce plan, sans tomber dans aucune démagogie, de restaurer une forme de justice sociale : d'encourager la prise de responsabilité et de risque, mais en veillant à la redistribution équitable des profits issus du travail. Il va de la crédibilité du rôle social des dirigeants sincères, qui triment dignement sous les difficultés avec et pour leurs employés, sans avoir pour autant en retour de telles rémunérations.

Cette situation me semble d'autant plus indécente que, dans nos sociétés dites modernes, tant de Français vivent encore dans la rue, à la recherche du minimum vital. Si l'on veut assainir le climat social, il faudra trouver une solution à cet écart entre une si grande richesse et une pauvreté insupportable pour tout humaniste. Il est temps de rompre avec l'art d'ignorer les pauvres que masquent la plupart des programmes d'éradication de la pauvreté. Jacques Attali est allé jusqu'à écrire le 14 mars dernier : « Chaque jour, chaque minute, partout dans le monde, les médias et les réseaux sociaux nous apportent des preuves nouvelles de la montée de la colère ; et souvent pour de bonnes raisons : misère des plus vulnérables ; frustrations des plus jeunes ; désespoir des chômeurs ; souffrance des femmes ; incurie des puissants ; égoïsme des riches... La réponse à la colère, c'est l'empathie. La réponse à la rage des faibles, c'est l'altruisme des puissants. »

L'armée est un corps social solide en ce qu'il a conservé l'ascension sociale et le culte du mérite. On peut commencer simple soldat et terminer général. La fraternité y demeure un principe fondamental et l'entraide une réalité. Combien de témoignages ai-je vécus en ce sens, après les blessures, les disparitions et les maladies ? Quand on pense que, dans les milieux urbains aujourd'hui, on peut vivre pendant des années sans parler une seule fois à son voisin de palier ! Cette absence de relations humaines rejaillit sur le climat social, rendant la tâche des dirigeants beaucoup plus complexe. Il est temps de remettre au goût du jour dans notre société la solidarité, qui constitue le creuset indispensable d'une vie collective. Il est temps de réinstituer de la proximité entre ceux qui décident et ceux qui exécutent. Je le mesure presque chaque jour dans mes activités actuelles. Le chef doit rester proche de ses équipes, même si tout est fait souvent pour l'en éloigner. Au fur et à mesure de mon avancement, j'ai senti ce phénomène et j'ai mis en place les garde-fous nécessaires, avec le concours bienveillant de mes subordonnés et de ma famille, de peur de me couper de la réalité ou de croire être devenu quelqu'un d'important.

La perte de proximité

Simultanément, l'État donne l'impression depuis plusieurs dizaines d'années de se désengager de ses fonctions régaliennes et de s'éloigner du quotidien des Français. Les trois ministères régaliens (Défense, Intérieur, Justice) n'ont pas été jugés budgétairement prioritaires et cela se remarque. La paupérisation des commissariats de police, l'allongement des procédures judiciaires et la baisse quasi constante depuis la fin de la guerre d'Algérie des budgets pour les armées constituent autant de signes tangibles d'un manque de moyens. Telle est la situation et cela pèse sur le climat social ambiant. Comment avoir confiance dans un État qui ne parvient plus à assurer ses fonctions régaliennes ?

Pour la réforme de l'État, les acteurs sont multiples. La plupart des décisions rationalisent, regroupent, recentrent, mais sans que l'administré ait été consulté. Le terme, que je considère monstrueux, de « guichet unique » est révélateur à cet égard. L'Homme est bon pour faire la queue au guichet, du moment que les indicateurs sont au vert et que les technocrates sont satisfaits dans les couloirs feutrés de leurs administrations ou de leurs ministères. Les tableaux de bord remplacent le bon sens. La comptabilité analytique devient l'alpha et l'oméga du progrès humain. C'est le règne de l'efficience et des surdiplômés à « la tête bien pleine et pas forcément bien faite ». Le citoyen ne comprend plus. Plusieurs fois, durant la fin de ma carrière militaire, j'ai eu à entendre ce genre de raisonnement caricatural. Depuis que je fréquente le monde de l'entreprise, je me familiarise avec les normes de la comptabilité privée : les hommes y sont considérés comme des charges et non comme des investissements. En vertu de cette règle, un financier verra toujours le départ d'un collaborateur expérimenté et donc bien payé comme un allégement des coûts, et son remplacement par une machine comme un investissement dont l'amortissement peut être déduit du bilan. Il suffirait de renverser cette norme pour bouleverser les mentalités : si l'on considérait, d'un point de vue comptable, les individus comme des investissements, certains dirigeants et leurs contrôleurs de gestion envisageraient sans doute bien différemment les personnels !

Les Français veulent de la proximité, quoi qu'il en coûte. Après tout, ils sont chez eux. La vie concrète des dirigeants de PME, d'associations, de fondations, d'organisations les plus diverses – j'en ai vu beaucoup ces derniers mois , est une course d'obstacle, non pas pour diriger, mais pour faire face aux exigences administratives. Je peux d'ailleurs à titre personnel goûter à ces joies avec ma société de conseil. Simplifions et retrouvons l'objectif : servir les autres.

Le débat dans les territoires sur l'éloignement des centres de décision est très intéressant. J'ai lutté depuis une dizaine d'années pour préserver les armées de cette désertification des services de soutien. La création des bases de défense chargées de coordonner les soutiens répartis dans les différentes armées nous a fait économiser de l'ordre de 10 000 postes sur la période 2008-2012, mais on voit bien les ajustements qu'il faudra faire dans les années qui viennent pour que le système retrouve de la souplesse et de la proximité.

Il en est de même pour les différents services de l'État. Lors d'une séance de dédicaces, quelqu'un m'a lancé : « Finalement, l'idéal pour l'État serait un pays sans citoyen ! » Cette réflexion m'a rappelé une remarque que j'avais faite quand j'étais instructeur à l'école de Saumur : « Arrêtez d'imaginer l'école sans les stagiaires et inversons le raisonnement ; partons des stagiaires pour construire le meilleur système. » C'est évidemment le meilleur raisonnement, et pas forcément le moins coûteux. Mais l'efficience poussée à l'extrême nuit à l'efficacité autant qu'à l'humanité.

C'est une des raisons qui expliquent l'accroissement spectaculaire, de plus de 50 % depuis 2014, du nombre de maires démissionnaires. On ne trouve plus dans la durée des personnes suffisamment dévouées pour endurer les difficultés quotidiennes du terrain, que ce soit en ville ou dans les campagnes. Je ne peux éluder la difficile problématique des territoires ruraux, dont on a parfois l'impression qu'ils sont les véritables oubliés de la République. Bien sûr, rien ne sert d'opposer, mais lorsque l'on compare les dizaines de milliards d'euros consacrés aux banlieues de notre pays et que l'on voit la désertification progressive de nos zones rurales, on peut se demander si l'on n'oublie pas l'article Ier de notre Constitution : « La France est une République indivisible… Elle assure l'égalité devant la loi de tous les citoyens… Son organisation est décentralisée. » La disparition des médecins, des petits commerces, des bureaux de poste, éloigne les citoyens et leurs dirigeants locaux des centres de vie. Les armées étant réparties sur l'ensemble du territoire, j'ai senti ces dernières années que ce sujet était de plus en plus douloureux lors de mes déplacements dans les unités. Je me souviens de la jeune femme d'un militaire dans l'Est de la France, mère de deux enfants en bas âge, qui m'expliquait qu'elle devait faire plus de 100 kilomètres pour le moindre rendez-vous auprès d'un médecin spécialiste ; cela lui était d'autant plus délicat qu'elle travaillait et que cela la mettait en difficulté vis-à-vis de son employeur.

Quant au « millefeuille administratif », il est spectaculaire à vivre. S'il vous arrive d'avoir un problème à régler aujourd'hui à la campagne, allez savoir s'il ressort du conseil régional, de la préfecture, du conseil départemental, de la mairie, du syndicat à vocations multiples, de la communauté de communes, de la fusion de communes, etc., ce millefeuille ayant évidemment été conçu pour faire des gains de productivité et… faciliter la vie du citoyen !

Le baromètre de février 2018 de l'IFOP pour Fiducial concernant les très petites entreprises (TPE) fait ressortir clairement qu'il semble plus difficile d'entreprendre dans les territoires ruraux qu'à la ville. Signe des temps, si 70 % des chefs d'entreprise s'accordent à reconnaître une action publique insuffisante dans les banlieues en difficultés des grandes agglomérations, ce pourcentage se hisse à 87 % pour les campagnes. D'aucuns voient d'ailleurs dans ce constat la cristallisation du désengagement d'un État toujours plus parisien et jacobin.

Là encore, au nom de son propre bonheur, l'Homme crée les conditions de son malheur. Comment s'étonner alors de la défiance de nos concitoyens envers ceux qui gouvernent ? Ils ne savent même pas qui décide et, pire encore, ceux qui croient être les décideurs ne sont souvent en réalité que les passeurs de plats. La décision est ailleurs, partout, nulle part ! À Paris, à Bruxelles, à New York, peut-être…

Le fossé entre les élites et les peuples

Après près de dix années passées à la tête des armées, au contact du sommet de l'État, j'ai pu côtoyer les plus grandes intelligences de la République. J'ai de l'admiration pour les personnels politiques, qui globalement se dévouent pour leur pays. Mais je suis inquiet lorsque je mesure le fossé qui se creuse entre les citoyens européens et leurs dirigeants – un fossé dans lequel semble devoir se perdre toute autorité. Il n'est que de voir la popularité respective des maires et des dirigeants nationaux. D'un côté, c'est « notre » maire que l'on connaît, qui est toujours à portée d'interrogation, voire d'interpellation, que l'on a élu et que l'on réélit, et de l'autre des ministres dont on ne connaît pas toujours les noms, qui parlent « bien » à la télévision, mais qui semblent inaccessibles et dont les décisions paraissent souvent abstraites.

La mondialisation et l'interdépendance des sujets, la complexification des problématiques, le poids de la technostructure qui en découle, ont affaibli grandement notre fonctionnement démocratique. Il est temps de revenir au rôle social du dirigeant à tous les niveaux et de retisser de la proximité. La montée des « extrémismes » doit probablement beaucoup au creusement de cet éloignement et au désespoir que partout il fait naître.

La solidité politique des différents pays européens s'est largement dégradée ces dernières années et la France apparaît aujourd'hui comme un des pays les plus stables. Regardons avec lucidité le poids relatif des États-puissances au regard de nos démocraties européennes. Les uns avancent avec une stratégie à trente ans sans contrainte majeure, quand les autres n'osent pas annoncer une réforme par peur des réactions dans les trente jours. La crainte des conflits sociaux englue nos dirigeants dans une contradiction tragique entre la forfanterie des promesses intenables et la réalité des paroles non tenues.

Nos dirigeants économiques, sociaux, culturels supportent difficilement cette situation et nos concitoyens s'en inquiètent légitimement. Le bon sens populaire vit mal cette forme de « *non possumus* » collectif, qui génère un fatalisme paralysant et frappe d'obsolescence les décideurs, quels qu'ils soient.

Dans ce contexte, les autorités donnent parfois l'impression de se dérober et ne plus pouvoir faire autorité…

**Le poids de la bureaucratie
qui nuit aux décisions**

L'autorité de l'État est mise à mal par une bureaucratie parfois prolifique qui ralentit la prise de décision. La marche du monde, nous l'avons souligné, s'accélère. Ceux qui gagnent sont ceux qui peuvent décider vite et bien. C'est donc un règne impuissant qu'étend la bureaucratie dans nos vies. Il m'est arrivé il y a un peu plus d'un an d'être obligé de fournir une attestation sur l'honneur stipulant que je logeais gratuitement ma femme, avec laquelle je vis depuis plus de trente ans, puisque aucun justificatif de domicile n'était à son nom. Jamais le bon sens ne l'a emporté malgré toutes mes tentatives d'explication. J'ai fini par signer ce papier dont la valeur juridique est probablement d'ailleurs opposée à l'engagement du mariage dans le Code civil, qui stipule que l'on se doit le soutien mutuel évidemment. J'ai cédé comme beaucoup de Français devant l'administration, suivant en cela la devise que m'a apprise un sous-officier quand j'étais lieutenant : « On ne discute pas avec une brouette ; on la pousse ! »

Tout cela contribue à effriter l'autorité sociale de l'État, qui annonce et retarde sa réforme profonde depuis des dizaines années. La Revue générale des politiques publiques en 2008 est la tentative la plus récente et la plus spectaculaire d'un grand chambardement. À part le ministère de la Défense, qui y a laissé 45 000 postes dans la balance, je n'ai pas senti un bouleversement dans de nombreux ministères. D'ailleurs, l'effort de la défense a représenté plus de 40 % du total de l'ensemble de l'État.

Quant à la dématérialisation et la révolution du numérique dans l'administration, elle a un peu amélioré les choses, mais je note qu'il y a toujours autant de papiers édités, « au cas où le logiciel tomberait en panne ». C'est un simple constat : la vie quotidienne ne s'est pas simplifiée et on s'interroge parfois sur l'autorité administrative capable de générer une telle masse de papiers, de justificatifs à fournir, de formalités à remplir sachant que, par exemple, les dates de naissance changent rarement ! On m'objectera à juste raison que les lois existantes impliquent ces procédures administratives. Peut-être faudrait-il ralentir la cadence législative, car, derrière les lois, il y a évidemment les décrets d'application et les arrêtés de mise en œuvre, un maquis juridique, dans lequel seuls les spécialistes s'y retrouvent... dans le meilleur des cas.

Le juridisme qui complexifie

Là aussi, on peut se demander si, *in fine*, c'est bien le bonheur des citoyens qui prime, dans tous ces débats d'experts et de spécialistes du droit, sous la haute autorité du Conseil d'État. La névrose juridique de nos démocraties conduit nos sociétés à une sorte de pénalisation universelle – qui évidemment accroît le désordre auquel elle est censée suppléer. La technicité des textes semble l'emporter sur leurs conséquences réelles pour le citoyen. Il faudrait ré-compenser non pas les ministres qui font des lois nouvelles, mais ceux qui en profitent pour simplifier notre système normatif.

En soulageant le carcan juridique, on redonnerait sa chance et sa place au pragmatisme. Mais nous n'en sommes pas là. Aujourd'hui, la loi, qui n'est en principe qu'un moyen au service d'une bonne organisation de l'État et l'encadrement d'une vie harmonieuse dans notre société, devient une fin en soi. La nation devient l'appendice ou la variable d'ajustement de l'État, dont elle devrait être le cœur et la raison d'être. C'est ainsi par exemple que j'ai souvent entendu ces derniers mois cette réflexion : « À quoi bon embaucher avec tous les ennuis que j'aurai ? Alors, je me débrouille. » Quelle tristesse de voir les amoureux de la France devoir tourner le dos à l'État français.

C'est que toute prise de risque devient problématique au vu des conséquences juridiques qu'elle entraîne. Les policiers, les gendarmes et les militaires le savent bien, eux qui ont vu l'engagement de la force toujours plus précisément réglementé. Il faut tout prévoir, même l'imprévisible. Cela n'incite pas à la prise de risque, pourtant inhérente à tout exercice de l'autorité.

Cette difficulté à assumer les risques est une des raisons du statu quo dans de nombreux domaines. Pourtant, la maîtrise de l'imprévu fait partie intégrante de la responsabilité du chef, qui en tire même l'essentiel de sa crédibilité. L'époque actuelle n'encourage pas les audacieux. Mieux vaut être un bon administrateur assis sur son autorité qu'un précurseur ou un défricheur. Un fonctionnaire qui fonctionne, plutôt qu'un missionnaire qui missionne. Et pourtant l'autorité est à ce prix. Le chef doit être celui qui prend les risques et les assume, grâce à sa proximité et à sa connaissance de la réalité.

Le danger du surmenage

Il y aura donc de plus en plus d'avocats dans nos démocraties dites modernes. Il faudra probablement aussi de plus en plus de médecins, compte tenu du nombre de dépressions, de ce que l'on appelle désormais « burn-out ». Face à toutes ces difficultés, ceux qui exercent une autorité sont quotidiennement éprouvés. Le poids de la bureaucratie, l'évanescence des décideurs et la multiplication des recours sont autant de fléaux qui minent dirigeants et encadrants à tous les échelons. L'occasion m'a été donnée au cours des derniers mois d'en rencontrer personnellement un certain nombre.

Français ou européens, les citoyens, pris entre le carcan réglementaire et tenaillés par la précarité économique, perdent confiance dans l'autorité qui les protégeait et vivent sous pression. Le nombre de dépressions ne cesse d'augmenter, sous les formes les plus diverses. La sinistrose, le manque d'estime de soi, les tentations suicidaires se multiplient. Les difficultés au travail se cumulent à celles rencontrées à la maison. On ne sait plus où donner de la tête. Les jeunes voient leurs parents perdus, égarés ou séparés. Ils se cherchent sans se trouver, au risque de se perdre. Le nombre de suicides ne cesse de croître dans une jeunesse en manque de points d'ancrage sociétaux, familiaux, moraux. Les repères disparaissent dans la brume des facilités ou des difficultés. Faute de soigner les maux à la racine, les réponses apportées se cantonnent à traiter les effets sans corriger les causes.

L'Homme donne l'impression de s'exclure lui-même du système qu'il dirige, de n'être qu'un codicille ou qu'un appendice du monde qui se construit pour un autre que lui. Il est urgent de sortir de cette centrifugeuse infernale qui nous ballotte comme le linge dans une machine à laver. Il est temps de retrouver notre boussole, de recréer de l'adhésion, de la confiance, de la considération, de l'unité – bref de l'autorité.

Il est temps de retrouver notre objectif commun : le bonheur de l'humanité, le bonheur par l'humanité.

Rester en prise avec le terrain

L'équilibre humain est donc le facteur clef pour faire face à toutes les pressions qui écrasent la vie moderne. Il ne faut pas non plus oublier l'équilibre entre le haut et le bas, entre la direction et l'exécution, entre la conception et le terrain. Pour cela, je vois deux points importants.

D'abord, chaque décision envisagée doit être étudiée sous le prisme de ses conséquences concrètes, même les plus lointaines. Elle doit intégrer les risques de rejet ou d'incompréhension par les exécutants. Combien d'exemples ai-je en tête de réunions surréalistes, y compris au sommet de l'État, sur des thèmes les plus sensibles qui soient, et où prévalent des approches conceptuelles dénuées de tout pragmatisme. Généralement, un vocabulaire suffisamment abscons suffit à éviter d'entrer dans le concret. À Bruxelles, lors des réunions à l'Union européenne, nous étions souvent dans un monde en suspension, en apesanteur, loin de toute réalité tangible par rapport à la situation sécuritaire du moment et surtout sans aucune mesure concrète à l'issue.

Pour ne pas s'éloigner du concret, la seule recette est d'aller régulièrement sur le terrain, pour confronter ses intuitions aux certitudes de la réalité. Évidemment, tout est fait pour retenir le dirigeant dans son bureau, écrasé par le nombre des rendez-vous, les sollicitations multiples, les impératifs, les contraintes, les urgences. Mais il faut refuser cette logique et reprendre la main sur le cours des choses, en allant voir la réalité. Les faits sont têtus. En outre, les exécutants sont toujours contents de voir leur patron s'intéresser à leurs préoccupations, leurs difficultés. Beaucoup de solutions recherchées dans nombre de réunions sont connues à la base, mais ne remontent pas toujours le courant des différents échelons intermédiaires. Alors, pas d'hésitation : il faut parler terrain et aller sur le terrain, quelles que puissent être les difficultés d'agenda.

La réussite d'un projet repose évidemment en grande partie sur la capacité du chef à convaincre, à entraîner, à être un leader. L'efficacité des procédures ne saurait remplacer l'engagement des cœurs. Toute transformation engendre des résistances à la réforme, des réticences au changement, que seul le leader peut dissiper par son charisme et sa proximité. C'est aussi comme cela qu'il saura utilement déléguer et prendre de la hauteur.

Chapitre 9

Faire réussir, c'est réussir

Face à cet ensemble de pressions subies par nos sociétés, il est urgent de reconstituer de la confiance. Tout formateur, tout leader se doit d'être à la hauteur de sa mission en développant chez ses équipes le sens de l'effort, le goût des responsabilités, l'ardeur au travail et l'esprit de cohésion. Il lui faut pour cela cultiver en permanence l'idée d'engagement au service d'un but commun.

La confiance :
premier carburant de la réussite

« Confiance, confiance encore, confiance toujours ! » C'est par ces mots que le général Delestraint conclut ses adieux à ses compagnons d'armes, au mois de juillet 1940, au camp de Caylus, dans le Tarn. Alors même que la défaite est actée, son discours est une exhortation ferme à rejeter toute « mentalité de chiens battus ou d'esclaves ». Quelques mois plus tard, conformant ses actes à ses paroles, il prend la tête de l'Armée secrète. Arrêté, torturé puis déporté, il meurt au camp de Dachau, le 19 avril 1945, moins de trois semaines avant la victoire, dont il a été l'un des artisans les plus actifs.

Ce qui m'a toujours frappé dans cette recommandation du général Delestraint, c'est d'abord ce qu'il tait. Il ne dit ni « en qui », ni « en quoi » avoir confiance. À ses yeux, le plus important est avant tout cet état d'esprit singulier – cet « optimisme de la volonté » – qui choisit de voir la plus infime parcelle de lumière au cœur des ténèbres les plus noires.

La confiance, c'est bien le refus de la résignation. C'est le contraire du fatalisme et l'antithèse du défaitisme. Et, en même temps, il y a dans toute confiance une forme d'abandon. Agir sans s'abandonner, c'est faire preuve d'orgueil. S'abandonner sans agir, c'est se laisser aller. Entre ces deux pentes, la confiance dessine une ligne de crête à suivre d'un pas ferme. Elle seule est capable de faire advenir les succès espérés. Elle seule grandit à mesure qu'on la partage, et transcende, avec le groupe, chacun de ceux qui le composent.

La confiance dans le subordonné est donc particulièrement féconde. On a pris l'habitude de lui donner le nom savant de « subsidiarité », mais au fond il ne change rien. La confiance est une et indivisible. Comme chef d'état-major des armées, je mesurais chaque jour davantage à quel point j'étais dépendant de l'action de chacune et de chacun de mes subordonnés. Seul, je ne pouvais rien. Ensemble, rien n'était impossible !

La confiance est une vertu vivante. Elle doit être nourrie jour après jour, pour faire naître l'obéissance active, où l'adhésion l'emporte sur la contrainte. Elle naît puis s'entretient à partir de la vision du chef, qui éclaire, rassure, conforte, fixe le cap. Cette vision doit s'inscrire dans le temps long et relever d'une approche stratégique.

Un cap, qui rassemble et entraîne

Pour entraîner les hommes et leur permettre de se dépasser, il reste à construire un programme, un plan de transformation, qui soit compréhensible par chacun, quel que soit son statut dans l'organisation.

Une double approche est pour cela essentielle. D'une part, il faut raisonner à l'horizontale, d'une façon transverse et fonctionnelle ; et d'autre part, il faut raisonner à la verticale, d'une façon hiérarchique et décisionnelle. La performance est à ce prix. Les meilleures décisions en termes d'organisation, de rationalisation, de gains de productivité, se révéleront insuffisantes s'il manque l'adhésion des personnels. Une entreprise, quel que soit son objet social, doit d'abord fonctionner pour les hommes et les femmes qui la composent. C'est la condition *sine qua non* de la réussite d'un plan de transformation réussi. Mais, évidemment, ce n'est pas la seule.

Il faut que le chemin proposé dans cette transformation soit clairement arrimé à la vision qui éclaire et au plan stratégique qui fixe le cap. Alors, les personnels dissiperont leurs inquiétudes et démultiplieront leur énergie pour l'œuvre commune, le modèle de demain. Leur attachement au projet sera réel, car ils mesureront mieux le fruit de leur investissement individuel et de leurs actions collectives. Une sorte de vague humaine naîtra des profondeurs de l'organisation et ne cessera de grandir, pour le plus grand bonheur de chacun. Voilà une vérité simple que nous font souvent oublier les indicateurs de gestion et de risque, qui sont parfois de bons serviteurs, mais toujours de mauvais maîtres.

Le dispositif de maîtrise des risques est bien sûr important, car il permet de prendre des décisions parfois un peu audacieuses et de conjurer la tendance à la frilosité décrite précédemment. « Consubstantielle » aux militaires, cette démarche managériale de maîtrise des risques m'a été très utile comme major général des armées, puis comme chef d'état-major. Les armées ont d'ailleurs été la première entité de la fonction publique à être certifiée par l'Institut français de l'audit et du contrôle interne (Ifaci) en 2012.

Au cœur de cette démarche stratégique, il y a une vision articulée autour du rôle de l'Homme. Les risques sont identifiés à partir des actions du plan stratégique, à la fois pour leur degré d'occurrence et leur niveau d'intensité. Tous les ans, une mise à jour glissante dans le temps permet de mesurer les évolutions récentes et de prendre si nécessaire les mesures correctrices. La performance est au rendez-vous. Sans cela, les armées n'auraient pas pu conduire les opérations qu'elles ont menées de par le monde, pas plus que les transformations profondes réalisées ces dix dernières années. Cette méthode est évidemment transposable pour toute entreprise humaine, politique, économique, culturelle, sociale.

De cette manière, on évite l'étrange défaite dont Marc Bloch a donné la clé : « Les Allemands croyaient à l'action et à l'imprévu. Nous avions donné notre foi à l'immobilité et au déjà fait. » Parce qu'il accorde toute leur place à l'action et à l'imprévu, le plan de transformation doit mettre en avant clairement la volonté (une vision, qui est indispensable et qui n'est pas un simple plan de communication), la direction (le cap à moyen terme et le plan stratégique articulé autour de plusieurs axes majeurs), le projet (un plan de transformation avec des actions multiples « phasées » dans le temps).

Chaque entité ou branche de l'organisation doit s'y retrouver clairement pour ensuite pouvoir y greffer son propre plan d'action. Pour éviter que cela ne tourne en exercice fumeux et donc contre-productif, technocratique et potentiellement dangereux, je recommande d'en revenir systématiquement au triptyque : un chef, une mission, des moyens. À cela, il faut évidemment ajouter un calendrier pour matérialiser concrètement chaque action souhaitée. Face à toutes les contraintes, ce plan de transformation cherche à fédérer, rénover et simplifier. Il n'est nullement figé, mais évolutif, au gré de l'accélération du temps.

La transformation permanente n'est pas une option. C'est une obligation. Plus qu'un état de fait, elle doit devenir un état d'esprit. Elle est d'autant plus difficile à conduire que, « pendant les travaux,

la vente continue », et c'est une des difficultés de ce
processus d'adaptation permanente que connaissent
bien les dirigeants et que subissent trop souvent les
équipes, sans comprendre toujours quand cela va s'arrêter et pourquoi on change de direction. Pour que
cette démarche soit synonyme de succès, il faut bien
sûr expliquer sans cesse, mais il faut aussi veiller à ce
que chacun se retrouve dans les changements : qu'il
appartienne aux unités opérationnelles de production
ou qu'il œuvre dans le domaine de la conception ou
du soutien, un salarié doit comprendre la chaîne à laquelle son travail s'intègre. À l'intersection du sens et
du bon sens, le slogan, que nous avions choisi pour le
projet Cap 2020 des armées, pourra avantageusement
servir de boussole dans la conduite du changement :
« Ensemble, autrement, au mieux ».

La délégation, source de confiance

Ensuite, plutôt que de vouloir s'imposer en rap-
pelant explicitement ou implicitement qu'il est le
chef, le responsable doit chercher en permanence à
valoriser ses équipes. La responsabilisation, la délégation, la subsidiarité sont des mots à appliquer au
quotidien pour combattre la centralisation naturelle.
« Tout remonte au ministre », disait déjà à la fin
des années 1980 Jean-Pierre Chevènement, alors mi-

nistre de la Défense. Le chef ne doit pas, ne peut pas tout connaître. L'essentiel, pour lui, est de savoir où trouver ce qu'il cherche. Beaucoup de petits chefs croient que leur seul talent suffira à guider les autres et veulent tout faire par eux-mêmes, persuadés qu'ils sont de tout faire mieux que tout le monde. On ne naît pas chef, on le devient, par la confiance et l'amour des autres.

À vingt ans, et parfois encore à quarante, on pense que rien ne peut ni ne doit nous résister. À soixante ans, on pense que l'essentiel est de durer et que tout ce qui peut être fait par les autres doit l'être. Les agendas sont sur ce plan très éclairants en ce qu'ils nous donnent à voir au moins deux France : celle qui se lève tôt et termine tard, écrasée de soucis, de la base au sommet, et celle qui fonctionne, de pont en pont, de pause en pause, et qui attend, souvent en vain, plus de responsabilités. Peut-être pourrait-on rééquilibrer tout cela dans l'intérêt de tous, et trouver par là un meilleur équilibre entre les droits et les devoirs.

Peut-être devrait-on aussi recréer les corps intermédiaires, qui souvent, sous prétexte d'économies financières, ont trop éloigné les Français des décisions. La pédagogie est à ce prix et l'homme a besoin de communiquer autrement que par un répondeur téléphonique, un écran tactile ou un robot. Là encore, la présence de chefs identifiés capables de commander « à la voix » est décisive.

La règle des quatre « c »

Pour exercer sa responsabilité, le chef doit conserver à sa main quatre étapes : concevoir, convaincre, conduire, contrôler.

La première étape est la *conception*, celle qui consiste à donner la vision, le cap, le chemin. Un chef qui ne prend pas le temps de s'y arrêter se voue à errer sans but déterminé, riche de ses moyens mais dépourvu de toute fin. Plus on s'élève dans la hiérarchie, plus se rencontrent de ces chefs qui croient pouvoir se dispenser de poser leur pied sur le premier barreau de l'échelle... et qui se condamnent à ne jamais atteindre le dernier.

La seconde étape vise à *convaincre* les équipes pour les entraîner sur ce chemin. C'est le carburant du véhicule, qui sans cela n'avance pas, quand bien même il serait orienté dans la bonne direction. Pour vaincre, il faut d'abord convaincre, c'est-à-dire expliquer, entraîner, former, instruire si nécessaire. Pour prendre sa place, chacun doit commencer par comprendre. Le charisme du chef est pour cela déterminant.

Ensuite, le chef doit *conduire* le projet et diriger la manœuvre. Le principal danger ici est l'entrisme, et le chef doit veiller à prendre de la hauteur et du recul, sans se laisser aimanter par la mise en œuvre et en veillant à rester à sa place. Conduire, c'est aussi bien se conduire.

Enfin, la confiance n'excluant pas le *contrôle*, le chef vérifie que les objectifs sont atteints et corrige si nécessaire les insuffisances. C'est le but en particulier des points de situation réguliers et des visites sur le terrain, au cours desquelles il vérifie concrètement l'avancement des projets.

Tout le reste peut et doit être délégué. J'ai toujours été étonné de la qualité de mes subordonnés et de leur imagination, de leurs initiatives, de leur créativité. Encore faut-il que ces talents puissent s'épanouir et s'exprimer. « Un grand homme, écrit Baltasar Gracian, ne doit jamais être trop vétilleux en son procédé. Il ne faut jamais trop éplucher les choses, surtout celles qui ne sont guère agréables ; car bien qu'il soit utile de tout remarquer en passant, il n'en est pas de même de vouloir tout expressément approfondir. Pour l'ordinaire, il faut procéder avec un détachement cavalier. » Et c'est bien en cavalier que le bon chef garde les rênes longues, comme on le fait en équitation, et fait corps avec sa monture.

L'esprit d'équipe, comme les Bleus au Mondial de football

L'esprit d'équipe me semble une qualité décisive pour réussir. Il marque la conscience d'être membre d'un groupe au sein duquel chacun est indispensable à la mission. Il est parent de l'esprit d'équipage, l'esprit de corps. Je suis persuadé que le chef n'est rien sans ses subordonnés. Le succès est toujours collectif ! Rien ne se construit sans les autres. Je ne vaux que par les autres et pour les autres. Les grands succès se construisent en équipe. Les grandes défaites sont aussi collectives, comme le sursaut qui doit en résulter.

Mon engagement depuis quelques mois au sein de l'Union nationale des footballeurs professionnels (UNFP) procède de cette conviction. Le sport en général et le football en particulier sont régis par les valeurs que j'évoque tout au long de ce livre.

Le projet « Positive Football », conduit avec talent par Sylvain Kastendeuch, répond à cette intuition selon laquelle il est urgent de faire adhérer nos footballeurs à ces valeurs fondatrices, garantes du succès, mais aussi du lien qui doit unir nos équipes professionnelles à la nation. Un certain nombre de comportements de joueurs sont perfectibles, et mon engagement personnel auprès de l'UNFP a pour objectif d'améliorer l'éducation et le savoir-être de jeunes pleins de bonne volonté, mais souvent dénués de repères. Les résultats sont là et la générosité, l'exemplarité, la discipline reviennent progressivement chez ces « vedettes », qui ne sont que des hommes, et qui souvent aspirent à montrer l'exemple et à donner du sens, pour elles-mêmes comme pour les autres. Les valeurs créent de la valeur.

Je pense ici par exemple à l'attitude des joueurs du PSG après leur victoire en finale de la Coupe de France contre l'héroïque équipe semi-professionnelle des Herbiers. En proposant à leurs valeureux adversaires de partager avec eux la victoire, ils ont offert aux 80 000 spectateurs non pas un spectacle, mais un témoignage de fraternité. L'image de Thiago Silva soulevant la coupe avec Sébastien Flochon, capitaine des Herbiers, est bouleversante. Quand le panache ouvre la voie au partage, on peut tout espérer de l'avenir. Cette équipe semi-professionnelle, voisine de chez moi, a passé les uns après les autres tous les tours de la Coupe de France, pendant de longs mois de compétition. Comme un David abattant les uns après les autres autant de Goliath, un club de sport semi-professionnel de province est parvenu au Stade de France pour y affronter un des plus grands clubs au monde. Ce qui a rendu possible cette aventure, c'est la cohésion d'une équipe persuadée que tout lui était possible à condition qu'elle reste soudée. C'est aussi le soutien d'un département, d'une région, et finalement de tout un pays.

Et il ne s'est pas passé autre chose avec notre équipe nationale au Mondial en Russie. Chaque joueur interrogé répondait en parlant de la valeur collective. Le sélectionneur a su cultiver cette cohésion et faire confiance à son groupe sur le terrain. La fraternité produit toujours de bons fruits. L'attachement à son pays, à son drapeau, et la fierté de le représenter ont fait le reste.

Faire réussir, c'est donner du sens

Car en réalité notre jeunesse a soif d'engagement et veut servir une cause noble, qui la dépasse. Certains partent d'ailleurs dans la mauvaise direction, car ils ne trouvent pas dans notre société ces raisons d'espérer. Les chefs, où qu'ils soient, se doivent de combler cette attente. Didier Deschamps l'a compris en insistant sur la fierté de représenter son pays. Que tous ceux qui sont en situation de responsabilité aient l'humilité, la lucidité et le courage de s'en inspirer.

Dans les entreprises, le sens s'affirme et s'affiche d'abord vis-à-vis des clients pour les fidéliser et les attacher à la marque. Mais là où il est vital de le faire valoir, c'est en interne. Ce partage du sens doit permettre aux concepteurs et aux exécutants de se rencontrer sur un pied d'égalité – comme c'est le cas pour des militaires de tous grades engagés en opération. Aux chefs d'entreprise donc de trouver les bons équilibres pour que sens et performances deviennent inséparables. Beaucoup le font ou essaient de le faire. Un chef n'existe que par et pour ses subordonnés. Faire réussir, c'est réussir.

Chapitre 10

Vous serez des chefs

« Y a-t-il un pilote dans l'avion ? » Cette phrase résonne souvent dans nos cafés, nos colloques, nos couloirs, nos entreprises – sur nos places publiques et dans nos réunions privées, dans nos villes comme dans nos campagnes. Cette interrogation est partagée partout et par tous. Face à la dilution de l'autorité, on aimerait qu'une génération de chefs se lève pour décider, convaincre, nous emmener de l'avant, avec une vision capable de susciter des énergies comme de les fédérer. On aimerait un peu moins d'experts et un peu plus de décideurs, moins de compétence et plus d'appétence, moins d'intelligence et plus de sens. On aimerait plus de stratégie et moins de tactique.

La dimension budgétaire :
un moyen, pas une fin

Alors, à quoi reconnaît-on un vrai chef ? Le premier critère tient certainement à sa capacité à analyser avant toute décision l'impact qu'elle aura sur les femmes et les hommes qui en subiront les conséquences. Toute autorité est un service et le premier d'entre eux est de se dévouer corps et âme à ses équipes. Là est la finalité du vrai chef à laquelle tous les moyens doivent être ordonnés.

L'unique critère financier ne devrait donc présider seul et en premier à aucune décision. La finance est au service du citoyen et non l'inverse. Cela doit rester vrai dans l'entreprise, en politique et partout ailleurs. Combien ai-je vu de réunions, au cours desquelles des discussions passionnantes font apparaître des possibilités nouvelles qu'étouffe en conclusion un responsable financier, rivé sur ses chiffres ? L'impossible budgétaire ne peut pas être le dernier mot de toute initiative humaine. Au chef de veiller à ce que les nécessités financières informent, encadrent, mais n'entravent pas les décisions stratégiques – faute de quoi la raréfaction du possible, qui est l'oxygène d'une organisation, conduira à son asphyxie.

Je note d'ailleurs que nos élites civiles sont généralement plus intéressées par l'Inspection générale des
finances ou les grandes écoles de commerce que par
le social ou le tissu associatif. Je ne porte pas de jugement sur ces voies qui sont tout à fait nobles. Mais
je rappelle, toujours au titre du bon sens qui a parfois
déserté les hautes sphères, qu'il faut de l'argent pour
vivre et non pas vivre pour l'argent. On est en réalité
plus heureux au service des autres que dans la course
salariale ou patrimoniale. Je me réjouis d'ailleurs que,
dans l'armée, les personnes soient relativement proté-
gées de cette course à l'argent, car chacun sait exactement ce que gagne l'autre, en fonction de son grade
et de son ancienneté.

La première raison d'être d'un État tient en effet à
la protection de ses citoyens, à la justice et à l'éducation, pas à la croissance de son PIB et à la rémunération des patrons du CAC 40. Il faut des entreprises
prospères, bien gouvernées et efficaces pour créer
des emplois. Il est légitime de les aider et d'encourager les dirigeants sans qui elles n'existeraient pas
(surtout quand ils sont vertueux socialement). Et je
sais aujourd'hui combien il est difficile de gouverner
une entreprise, PME, ETI ou grand groupe. Quand
on réussit en France, on est suspect ; dans le même
cas aux États-Unis, on est un modèle. Peut-être

devrait-on évoluer quelque peu sur ce point. Sans patron visionnaire, comment créer de l'emploi ?

Ce qu'attendent les Français de l'État, c'est qu'il les protège et qu'il exerce le droit et la justice avec équité, tempérance et clarté, sans passe-droit ni anathème. La fibre sociale, l'amour des autres sont complémentaires d'une saine gestion financière. L'homme doit être là aussi premier servi.

Le charisme

Sans chef, toute organisation est condamnée à s'étouffer ou à s'effondrer, par manque d'essence et par manque de sens. Le leader – en français le chef distingué ou élu par son charisme – met en synergie les qualités individuelles au bénéfice d'un objectif clairement défini par avance. Quelles sont les qualités d'un chef, d'un vrai leader ?

Évidemment, j'ai souvent réfléchi à cela, sachant que je note une claire parité entre les mondes militaire et civil, à ceci près que dans les armées on peut demander à ses subordonnés d'aller jusqu'à la mort – celle que l'on donne, comme celle que l'on reçoit. Les militaires ont en termes de leadership une vraie expertise à faire valoir et qui trouve d'ailleurs un réel écho dans les milieux civils ces derniers temps, notamment depuis les premiers attentats de janvier 2015. Je peux en témoigner, tant je suis sollicité dans ce domaine, dans les milieux économiques, éducatifs, sociaux, sportifs et même culturels. L'attentat contre *Charlie Hebdo* a été indubitablement un vrai tournant dans la perception par la nation de l'importance de son armée, en particulier dans sa mission de protection.

Quand un être charismatique entre dans une pièce, tout s'y ordonne autour de lui. On le remarque à cause de sa stature, de son regard, de son attitude – et même parfois on le sent confusément sans savoir pourquoi : c'est un chef. Il projette quelque chose qui est reçu par autrui, mais c'est aussi quelqu'un qui reçoit lui-même les signaux émis par les autres. La sympathie qu'il inspire fait pendant à son empathie – l'une comme l'autre parfaitement maîtrisées, dans cet équilibre qu'il est possible d'appeler l'autorité. Au fondement de ce charisme, il y a la confiance en soi et le souci des autres. Il s'agit d'une mystérieuse alchimie qui ne doit pas grand-chose aux qualités physiques : Napoléon était un petit homme nanti d'une voix fluette. Ce charisme est inné, mais il peut se travailler et il doit être entraîné pour grandir et prendre toute sa mesure. C'est une des vocations des écoles militaires, où les élèves apprennent à comprendre et à se faire comprendre d'un regard, d'un geste, d'un mot. Ils apprennent l'essentiel du métier de chef : aimer ses subordonnés. C'est enfin une responsabilité qui impose à celui qui la reçoit d'aimer ses hommes et de leur être totalement dévoué.

À ceux qui exercent des fonctions qui les placent en situation d'être chef, je souhaite faire trois recommandations. D'abord, un bon chef doit demeurer optimiste, malgré les épreuves, « les emmerdes », qu'il ne manquera pas de rencontrer. Parfois, elles volent même en escadrille ! Mieux vaut combattre la sinistrose ambiante qui consiste à critiquer plutôt qu'à proposer, à démolir plutôt qu'à construire. Une telle attitude porte les germes de la défaite, de l'échec. Refuser le défaitisme, le pessimisme, le misérabilisme, est un devoir pour tout bon dirigeant, animé par cet optimisme de volonté qui, seul, permet d'avancer. Chaque époque rencontre ses difficultés, qu'elles soient prévues ou non. « Si tu t'assieds, ils se couchent. »

Ma deuxième recommandation est de rester humble ! Vis-à-vis des chefs : ce n'est pas parce que l'on ne dispose pas de toutes les cartes pour les comprendre que les hautes décisions sont prises en dépit du bon sens. Il est essentiel de se hâter lentement avant de juger. Je dis souvent dans un sourire : « On est commandé par des cons : patience, votre tour viendra ! »

L'humilité vaut aussi vis-à-vis de soi-même : ce n'est pas parce que l'on est le chef que l'on est infaillible. L'erreur technique peut être pardonnée, la faute humaine beaucoup moins, et l'entêtement jamais ! « Il faut vivre pour autre chose que pour soi », disait André Maurois. L'humilité vaut surtout, et c'est le plus difficile, vis-à-vis des équipes subordonnées : il faut mériter leur confiance et gagner ainsi la véritable autorité, celle qui n'a pas à rappeler qui est le chef pour s'imposer... Cela passe par la capacité à « mettre son orgueil dans sa poche » et à pardonner. Le grand chef est un mendiant de l'humilité. Son vrai objectif est de réussir sa vie, plus que de réussir dans sa vie.

Rester à sa place, mais occuper toute sa place, est ma troisième recommandation. Dans une période de mutations, on a besoin de gens imaginatifs, novateurs, précurseurs. On a besoin de chefs « qui pigent et qui galopent », qui proposent des solutions et ont des idées nouvelles. Ce qui guide le chef, c'est l'initiative. Une bonne décision, même imparfaite, suivie d'une ferme exécution, est souvent meilleure que l'absence de décision ou que l'attente prolongée d'une résolution idéale qui ne sera jamais exécutée. Avoir pleinement confiance dans sa capacité et sa légitimité ! En peu de mots, faire preuve de jugement, d'initiative, d'audace, de courage me semble essentiel pour être un bon dirigeant, un vrai leader. Nelson Mandela, dans son discours d'investiture en 1994, déclarait : « Si nous nous libérons de notre propre peur, notre présence libère automatiquement les autres. »

Les vertus du chef

Le chef est étymologiquement celui qui est à la tête, celui qui est la tête. Il s'appuie sur des vertus indispensables qu'il convient de cultiver dans au moins trois domaines.

Avant toute chose, je crois qu'il faut abandonner l'idée un peu facile qui voudrait que les qualités de chef relèvent, essentiellement, de l'inné, de l'intuition ou des circonstances. Rien n'est moins vrai. Les grands chefs ont toujours été de gros travailleurs, y compris les plus géniaux.

En premier, je mettrai donc la compétence, autrement dit la connaissance du métier. C'est l'un des premiers critères sur lesquels on est évalué par ses supérieurs, ses pairs et aussi ses subordonnés. Sans compétence, pas de crédibilité. Il ne faut pas se limiter à un survol rapide des aspects techniques du métier, au motif que d'autres sont payés pour être des spécialistes ! On y perd rapidement sa légitimité et sa crédibilité. Pour estimer à leur juste valeur le savoir-faire des uns et des autres, il faut aussi « mettre la main à la pâte ». « La plus grande immoralité est de faire un métier qu'on ne sait pas », disait Napoléon.

Deuxièmement, je pense à l'ouverture d'esprit. C'est pour les militaires l'ouverture sur le monde en général, et sur la société civile en particulier. « Celui qui n'est que militaire est un mauvais militaire », disait Lyautey. Pour les autres, c'est tout simplement la curiosité naturelle pour s'intéresser à autre chose que son simple métier dans sa filière. « La culture générale est la véritable école du commandement. »

Troisième domaine, enfin : l'expérience, la sienne et celle des autres. Quand on a vingt ans et l'avenir devant soi, on est impatient de voler de ses propres ailes ; rien ne remplace l'expérience personnelle, mais celle des autres fait gagner du temps ! L'économie des forces est un des trois principes de la guerre de Foch.

À ce titre, on a tout simplement beaucoup à apprendre de son encadrement, de ses formateurs. Quel que soit le niveau hiérarchique, on peut toujours être le formateur de quelqu'un. C'est particulièrement vrai face à la jeunesse, dont il faut révéler le potentiel d'enthousiasme. Les âmes de vingt ans sont celles des idéaux profonds. Une étincelle peut enflammer leur vie, mais une mauvaise rencontre peut les refroidir à jamais.

Il faut développer chez les jeunes l'esprit critique et le bon sens ; bannir, à l'inverse, toute forme de relativisme qui donne l'illusion que tout se vaut et qui, *in fine*, condamne à l'indécision. Pour avoir été de nombreuses années instructeur en école, je mesure tout à fait le défi, mais aussi les satisfactions que l'on peut en attendre en étendant leur zone de confort et en libérant leurs talents.

Et dans le brouillard de la situation actuelle, trois qualités au moins me semblent nécessaires pour faire un bon dirigeant.

D'abord, l'envie de l'être, c'est-à-dire le sens et le goût des responsabilités. On n'est pas chef malgré soi. Un chef doit aimer « cheffer », pour paraphraser Jacques Chirac. Et cela se vérifie à l'épreuve de vérité. C'est dans la difficulté que l'on reconnaît les grands chefs. Quel que soit le poids de nos vies, ce qui compte est la force de nos envies.

Ensuite, le courage, physique (il en faut parfois quand on n'est pas en forme olympique) et intellectuel (ce n'est pas toujours répandu chez les hauts dirigeants !), qui permet d'affronter le risque, voire la simple peur de prendre une mauvaise décision. À l'heure du danger, c'est lui qui confère l'autorité. La figure du lieutenant-colonel Beltrame a frappé le monde entier. Cet exemple nous montre que l'opinion est en attente de ce courage qui peut aller jusqu'à l'héroïsme, qui remet l'honneur à l'honneur.

Le discernement qui s'ancre dans le travail personnel, la lecture, la réflexion, la culture générale. Il permet de décider rapidement dans l'urgence des situations nouvelles. Dans les moments difficiles, il procure le calme et le sang-froid, qui font les grands chefs, contrairement aux nerveux, impulsifs, irritables et emportés, qui sont souvent les conjurés de la défaite.

Le goût de l'effort, qui incite au dépassement de soi et au travail. « S'élever par l'effort », quelle belle devise ! Pour autant que l'exigence porte en priorité sur soi, condition indispensable pour qu'elle entraîne les autres.

Ne pas subir

Le colonel de Lattre, entre 1936 et 1938, commandait le 151ᵉ régiment d'infanterie. Mon enfance, ainsi que celle de mes trois frères et de ma sœur, a été bercée par les récits de notre père Jacques de Villiers, à l'époque lieutenant dans ce régiment à Metz. Il nous a raconté pourquoi et comment son chef de corps, une personnalité haute en couleur, commandait. De Lattre était un homme de panache et d'honneur, digne en toutes circonstances. Il ne supportait pas les cadres sans caractère et aimait ceux qui se posaient en s'opposant. Charismatique, ce meneur d'hommes jamais autoritaire, exigeant mais toujours juste, aimait ses subordonnés. Il est un modèle à suivre dans cette période où une forme de « médiocratie », suivant l'expression du philosophe Alain Deneault, pourrait nous inciter à « n'être ni fier, ni spirituel, ni même à l'aise, de peur de paraître arrogant ».

Notre monde, notre pays, notre Europe ont besoin à tous les niveaux, et pas seulement au sommet de l'État, de responsables plus soucieux de l'intérêt général que de leur intérêt particulier. Mais rien n'est si difficile pour le citoyen que de distinguer l'ardeur civique de l'ambition personnelle. C'est ainsi que se multiplient les déconvenues qui, sur le plan médiatique, déclenchent le cycle résumé par Jean-François Kahn : « On lèche, on lâche, on lynche. »

L'ambition est légitime et chacun doit revendiquer les responsabilités à la hauteur de ses talents. D'expérience, j'ai observé autant de talents sous-exploités par un excès de frilosité que de capacités survalorisées par un excès de confiance. Ceux qui se rangent dans cette dernière catégorie ont une fâcheuse tendance à confondre le « nous » avec le « je ». Voir dans les responsabilités qu'on exerce une preuve de son mérite et non pas un rappel de ses devoirs, c'est une erreur qui conduit bien souvent à la faute.

À l'inverse, l'exercice du pouvoir peut être chrono-phage, dévorant, et ne laissant plus le temps à une vie personnelle. Cet engagement obsessionnel n'est bon ni pour soi, ni pour sa famille, ni pour son travail. Quand on n'a plus le temps de vivre, on n'a plus non plus le temps de bien faire les choses. De donner sa place à la réflexion, de prendre de la distance.

N'oublions pas enfin que l'autorité s'exerce dans la fraternité, pas dans l'égoïsme. C'est le dévoue-ment dont font preuve les supérieurs qui, seul, peut déclencher celui des subordonnés. Je me rappelle la phrase d'un de mes sous-officiers quand j'étais jeune lieutenant, auprès de qui un soldat se plaignait d'être fatigué lors d'un raid à pied : « Si tu veux oublier ton mal, pense à celui des autres. » Il faut sortir du « tout-à-l'ego » !

C'est là que notre armée se présente comme un modèle épuré, aisément lisible, de ce que sont les mécanismes du commandement, mécanismes qui sont valables toujours et partout. L'égalité, dans l'armée, est vécue sous l'uniforme ; mais, en réalité, chacun est à sa place et est respecté pour ce qu'il est. La France d'aujourd'hui a besoin de retrouver dans le mérite individuel cette même équité.

La France et l'Europe ont eu des heures sombres, certes, mais ont surtout généré des héros, une culture, des lignes de force puissantes, qui pourraient nous rassembler aujourd'hui. Il nous faut de la cohésion, du pardon et de l'envie commune. Il nous faut des producteurs de joie et de bienveillance. Besoin de chefs certainement. Envie de chefs tout autant.

Cela me rappelle la phrase du maréchal Leclerc prononcée le 22 juin 1945 à Fontainebleau à l'occasion de la passation de commandement de la 2e division blindée au colonel Dio : « Quand vous sentirez votre énergie fléchir, rappelez-vous Kouffra, Alençon, Paris, Strasbourg. Retrouvez vos camarades. Recherchez vos chefs. Continuez en répandant dans le pays le patriotisme qui a fait notre force. » C'est l'instinct de l'honneur qui fabrique les héros. J'aime cette devise d'Anne de Bretagne : « Plutôt la mort que déshonorer. »

Alors que nous sommes dans une période de grande incertitude, marquée par un niveau très élevé de violence verbale et physique, les femmes et les hommes souhaitent de la considération, de la bienveillance et de la joie. Répondre à cette attente quand on est en charge de responsabilités n'est pas toujours facile, je le dis en toute humilité, d'abord pour moi-même.

Le chef est celui qui doit prévenir ou maîtriser les crises, répandre de la sérénité en profondeur. Tel le paysan qui laboure et façonne la terre en prenant le temps de la nature, il passe son temps à gagner la confiance de ses équipes. À l'heure du numérique, les feuilles mettent toujours autant de temps pour éclore des bourgeons et les fruits pour mûrir au soleil. Il en est de même de la cohésion et des relations humaines.

Finalement, alors que partout on cherche à accroître l'efficacité et la productivité, peut-être devrait-on davantage se consacrer au bonheur des hommes et des femmes que l'on a l'honneur de diriger, non pas pour vaincre, mais pour convaincre, non pas pour plaire, mais pour se complaire, non pas en représentation, mais pour représenter. Nous passerons ainsi de l'innovation au progrès, du nouveau au mieux. L'art des responsables est certes d'accroître le chiffre d'affaires, mais avant toute chose que chacun à sa place puisse faire sienne cette devise magnifique de De Lattre, « ne pas subir », signifiant ainsi son passage de spectateur à acteur. Nous en avons besoin. Nous sommes toutes et tous, à notre place, des chefs.

Alors, vous déciderez sans hésiter. Vous dirigerez sans forcer. Vous vous imposerez sans contraindre. Vous ferez autorité. Vous serez des chefs.

Conclusion

Peut-on encore miser sur l'Homme dans un monde qui semble s'en remettre à l'intelligence artificielle et à la robotique pour agir ? Dans tous les domaines, les robots sont appelés à prendre la place des individus, qui paraissent voués à devenir, pour reprendre l'expression de Karl Kraus, « les vis auxiliaires de leurs outils ». Certes, nous ne savons ni à quel rythme ni jusqu'à quelle distance nous irons dans cette voie. Mais ce qui n'est pas discutable, c'est que les machines intelligentes vont prendre en charge des fonctions que nous considérions comme spécifiquement humaines et qu'elles les rempliront mieux à moindre coût.

Bientôt, nous n'aurons plus de chauffeur dans la voiture, plus de vendeur dans le magasin, plus de conducteur dans le train, plus de percepteur dans les services fiscaux, plus jamais personne au bout du fil ou derrière le guichet. Le monde entier nous sera accessible à travers un écran. Et il en ira du travail manuel comme du travail intellectuel. Des algorithmes résoudront les problèmes autrefois réservés à la sagacité des hommes clairvoyants.

On imagine déjà des cabines médicales de consultations à distance où nous dialoguerons demain avec un ordinateur médecin, dont les capacités pourraient être telles que nous ne saurions même pas que nous sommes en liaison avec une machine, dont le diagnostic et l'ordonnance seraient peut-être plus sûrs.

Ce monde robotisé va de pair avec la disparition de beaucoup d'emplois de service. Plus de poinçonneur des Lilas, mais plus de pompiste, plus de caissière, plus de standardiste. Plus de préposé à la Sécurité sociale, de conseiller à la banque. Partout et toujours le « progrès » diminue l'interaction de l'Homme avec son semblable.

Voilà donc le monde qu'on nous prépare. L'élimination de l'Homme par l'Homme. Faut-il alors se soucier de maintenir des relations humaines ?

Je le crois. La pire erreur serait de conclure que l'on n'entendra plus parler de cet insupportable « facteur humain », avec ses envies, ses aspirations, ses rejets, ses colères. À chacun de s'arranger avec l'une ou l'autre de ces machines. Voilà très exactement le monde que nous devons refuser, sans rejeter par principe le progrès, autrement dit l'intelligence artificielle. Elle va prendre en charge quantité de tâches abêtissantes et aliénantes. Mais le prix à payer ne doit pas être la solitude électronique. Au contraire, les travailleurs libérés par les algorithmes doivent pouvoir retisser le lien social. Derrière chaque automatisme, il doit y avoir une femme, un homme, auquel on peut accéder aisément, avec lequel on pourra parler. Que l'on pourra rencontrer.

Derrière le développement de l'intelligence artificielle, on nous annonce la fin du travail. Quelle erreur ! Certes, quantité de besoins seront satisfaits sans recours à un employé. Mais combien d'autres requièrent un visage, une voix ? Ils sont si nombreux, ceux, isolés, défavorisés, âgés, qui resteront sur le côté. Il est urgent que le développement des nouvelles technologies permette l'explosion de ces activités tout entières centrées sur les relations personnelles. Alors oui, l'intelligence artificielle sera un progrès pour l'Homme. Mais cela n'est nullement gagné. À nous d'inventer ce futur dans lequel l'Homme ne sera pas asservi, mais libéré par la machine. Et je ne doute pas que cela corresponde totalement aux aspirations des jeunes générations.

Cette jeunesse, je la sais d'un humanisme sincère, animée par de grands desseins, éprise de sens. « Les grands embrasements naissent de petites étincelles », déclarait le cardinal de Richelieu. Les jeunes lycéens, étudiants, professionnels, attendent qu'on leur propose un avenir enrichissant, exaltant, et pas seulement une carrière pour gagner leur vie. Ils ont le feu sacré. Encore faut-il être à la hauteur de leur exigence. Les nuits des cœurs ne demandent qu'à s'illuminer comme le jour.

Ces jeunes construisent et façonnent un monde nouveau, mais ils savent qu'ils ne pourront le faire sans fondations solides.

Ce serait une erreur de croire que le monde nouveau efface l'ancien : il le transforme, chaque époque apportant sa pierre à l'édifice, mais les pierres d'angle demeurent. Oui, les robots nous remplaceront, mais ils ne nous effaceront pas, bien au contraire. À chaque génération, l'orgueil peut aveugler et parfois faire croire qu'il est possible de changer le monde brutalement ; la réalité est tragique quand elle réapparaît.

Attention à ne pas oublier les personnes que l'on a l'honneur de diriger. Quand on donne l'ordre d'avancer, il faut toujours regarder si cela suit derrière, à moins de courir le risque de se retrouver seul, l'ordre ayant été mal compris ou tout simplement ignoré par manque d'adhésion. C'est particulièrement vrai dans les périodes de révolutions techniques, comme celle que nous vivons. Le progrès ne mérite pas son nom s'il laisse sur le bord de la route ceux qui ne peuvent pas suivre. Là est l'essentiel pour le chef et nous sommes tous et toutes des chefs, responsables de notre propre devenir, de celui de nos proches. Il faut aimer pour entreprendre, mais aussi entreprendre pour aimer. Il n'y a d'ailleurs rien de pire que la solitude du chef.

Le premier ordre que j'ai appris dans mes premiers jours à Saint-Cyr en septembre 1975 n'est pas « Garde à vous ! » mais « En avant ! », parfois d'ailleurs plus souvent « En petite foulée ! ». Je remercie mes cadres et mes anciens de ce cadeau, illustratif de ce que l'institution militaire m'a donné par la suite. « Quand j'entends les talons claquer, je vois les esprits qui se ferment », disait Lyautey. Les armées sont en mouvement permanent, que ce soit en opération militaire ou en transformation du temps de paix. Contrairement à ce que l'on croit trop souvent, la discipline et la rigueur de l'ordre n'oppriment pas les cerveaux ! Au contraire, la qualité relationnelle et les valeurs humaines que l'on trouve dans les armées sont remarquables. Même si bien sûr tout n'est pas parfait, je trouve que notre institution cultive l'au-

dace de rester libre dans les relations interperson-
nelles strictement encadrées. Cette liberté m'a permis
d'entreprendre, de créer, de manœuvrer dans l'espace
de responsabilité qui était le mien, en toute agilité.

« En avant », c'est aussi savoir où l'on va dans le
moyen et long terme, avoir une stratégie et un état
final recherché. Il faut être stable au cap et se fixer
des objectifs intermédiaires, qui permettent de réali-
gner l'ensemble du dispositif et d'éviter les pertes en
ligne. Notre objectif, nous le savons, nous le voulons,
c'est l'Homme, un homme qui donne sa confiance et
accepte l'autorité.

Car cette mise en mouvement n'a de valeur que si
elle est collective. L'agilité n'exclut pas la force et la
puissance, qui proviennent essentiellement de cette
capacité à avancer ensemble, côte à côte, en profi-
tant de l'effet de masse. « Ensemble » est un mot-clef
pour réussir, d'autant plus aujourd'hui, où l'individualisme pourrait facilement s'imposer.

Ce livre vise à avancer sur nos deux pieds, droit et
gauche, individuel et collectif, sur le chemin vers le
bonheur, c'est-à-dire vers et avec les autres, loin des
plaisirs fugaces et volatils. « La joie de l'âme réside
dans l'action », disait Lyautey. Alors, « en avant ! ».

TABLE DES MATIÈRES

Composition et mise en pages
Nord Compo à Villeneuve-d'Ascq

PAPIER À BASE DE
FIBRES CERTIFIÉES

Fayard s'engage pour
l'environnement en réduisant
l'empreinte carbone de ses livres.
Celle de cet exemplaire est de :
0,850 kg éq. CO_2
Rendez-vous sur
www.fayard-durable.fr

Imprimé en France par Dupli-Print
2 rue Descartes – 95330 Domont
en décembre 2018

58-2075-9/08
N° d'impression : 2018121476